Collection
PROFIL
dirigée par Geo

Série
PROFIL D'UNE ŒUVRE

La Cantatrice chauve (1950)
La Leçon (1951)

IONESCO

**Résumé
Personnages
Thèmes**

ROBERT HORVILLE
docteur ès lettres
professeur à l'université de Lille III

HATIER

SOMMAIRE

© HATIER, PARIS, FÉVRIER 1992   ISSN 0750-2516   ISBN 2-218-04578-8

Eugène Ionesco, l'initiateur du Nouveau Théâtre

▬▬▬ ENTRE ROUMANIE ET FRANCE

De Slatima à Paris

Eugène Ionesco est d'origine roumaine. C'est le 26 novembre 1912 qu'il naît à Slatima, en Roumanie. Mais il ne demeure pas longtemps dans sa ville natale : il n'a, en effet, qu'un an lorsqu'il vient, avec ses parents, s'installer à Paris en 1913. Jusqu'à l'âge de treize ans, il y vit la période cruelle et sanglante de la guerre de 1914-1918 qui lui fait éprouver vivement ce sentiment de l'absurde dont sera imprégnée toute son œuvre théâtrale.

Retour en Roumanie et installation en France

Après le divorce de ses parents, Ionesco retourne en Roumanie en 1925. Il y effectue ses études secondaires, puis, à partir de 1929, suit les cours de l'Université de Bucarest. Dès 1931, il commence à écrire et apparaît bientôt comme un élément prometteur de l'avant-garde roumaine. En 1934, la publication d'un essai, *Nu (Non)*, connaît un certain retentissement. Après s'être marié, en 1936, avec Rodica Burileano, il devient, en 1937, professeur au lycée de Bucarest. Mais peu attiré par la pédagogie, il met à profit la bourse d'études que lui accorde le gouvernement roumain pour renoncer, sitôt entamée, à la carrière professorale.

Le voici, en 1938, de retour en France : il prépare à Paris une thèse portant sur le péché et la mort dans la littérature française depuis Baudelaire, première expression des préoccupations métaphysiques qui marqueront son théâtre.

Il connaît alors, surtout après la naissance de sa fille Marie-France, en 1944, de graves difficultés financières qu'il essaie de surmonter en prenant, en 1945, un emploi de correcteur dans une maison d'édition d'ouvrages administratifs.

■■■■■ UN AUTEUR DE THÉÂTRE DÉRANGEANT

Des débuts théâtraux provocateurs

Ce n'est qu'après la Seconde Guerre mondiale, en 1950, que Ionesco débute sa carrière d'auteur de théâtre. À trente-huit ans, il fait représenter, aux Noctambules [1], sa première pièce, *La Cantatrice chauve* (publiée en 1952), dans une mise en scène de Nicolas Bataille. Il remporte un succès de curiosité, mais son public est un public restreint d'étudiants et d'intellectuels. Avec ce coup d'essai, il se pose comme un auteur en marge, dérangeant, qui remet en cause le fonctionnement théâtral traditionnel. L'appellation même qu'il donne à son œuvre, « anti-pièce », sonne comme un défi, comme une provocation. C'est une nouvelle dramaturgie qu'il ébauche : fondée sur la difficulté à communiquer, elle déroute les spectateurs de l'époque par la minceur de l'intrigue.

En 1951, la création de *La Leçon* (publiée en 1953) au Théâtre de poche, dans une mise en scène de Marcel Cuvelier, reçoit un accueil comparable. Ce « drame comique », ainsi que Ionesco nomme son œuvre de façon volontairement paradoxale, surprend encore. Le public n'est pas habitué à ce genre de pièce. Il est dérouté par l'illogisme et les jeux sur le langage qui la marquent. Il n'y retrouve pas le fonctionnement traditionnel de l'action : contrairement à la tradition, elle n'est pas menée selon une progression calculée, ne comporte pas de revirements ni de rebondissements et ne conduit pas à un dénouement cohérent.

---

1. Petit théâtre du Quartier latin, à Paris.

De la Rive Gauche à la Rive Droite

Jusqu'en 1956, Ionesco continue à s'adresser à ce public des théâtres de la Rive Gauche qui commence à se familiariser avec son écriture. Bientôt, un nouveau thème s'introduit dans son œuvre. On assiste à une prolifération de la matière et des objets qui envahissent l'univers de l'homme, en l'étouffant progressivement. Dans *Les Chaises* (1952), l'amoncellement des sièges symbolise les vains efforts de deux personnages qui tentent de masquer l'échec de leur vie à grands coups d'illusions pathétiques. Dans *Amédée ou comment s'en débarrasser* (1954), c'est la croissance cauchemardesque d'un cadavre qui vient concrétiser la mort de l'amour qu'un couple déchiré ne se résoud pas à admettre.

En 1956, Ionesco essaie de conquérir un autre public. C'est dans un théâtre de la Rive Droite de la Seine, le Studio des Champs-Élysées, qu'il donne son *Impromptu de l'Alma*, qui confirme son aspiration à une forme d'écriture marquée par l'insolite. Profitant du succès que remporte sa pièce, il reprend, dans la même salle, *Les Chaises*, créées précédemment dans un petit théâtre du Quartier Latin.

■■■■■ UN DRAMATURGE PEU À PEU RECONNU

L'accès à la notoriété

L'année 1960 constitue un tournant dans la carrière de Ionesco. Jean-Louis Barrault reprend, en effet, à Paris, sa pièce *Rhinocéros* qui avait été créée l'année précédente en Allemagne. Il commence ainsi à avoir accès à cette notoriété qui, de dramaturge sulfureux et contestataire, le transforme peu à peu en « classique » du théâtre français du XXe siècle.

Dès 1959, Ionesco avait connu une évolution dans son écriture. Ses pièces, jusqu'alors très brèves, prennent de l'ampleur et, surtout, elles privilégient un thème caractéristique de ce théâtre nouveau, appelé aussi le théâtre de l'*absurde*. L'obsession de la mort occupe le cœur même de l'action dramatique : l'absurde règne en maître, condamne à l'avance et rend vides de sens la vie et les actes humains.

Le cycle Bérenger

Ionesco commence à privilégier ces thèmes de l'absurde et de la mort dans *Tueur sans gages* (1959). Cette pièce met en scène le personnage de Bérenger, que Ionesco réutilisera par la suite. Scandalisé par la passivité de la police et des citoyens face aux crimes d'un mystérieux assassin qui ensanglante la ville, Bérenger décide de faire sa propre enquête. Malgré les nombreuses preuves qu'il trouve et qui permettraient d'arrêter le meurtrier, il ne suscite que scepticisme et indifférence. De guerre lasse, il recherche lui-même le tueur. Il finit par le rencontrer, mais ne réussit pas à obtenir des réponses aux questions qu'il pose à ce personnage, symbole du mal et de la mort, inévitables données de la condition humaine.

Dans *Rhinocéros*, créé la même année que *Tueur sans gages*, le petit fonctionnaire Bérenger essaie de s'opposer aux entreprises des rhinocéros : images des régimes totalitaires, ils cherchent à imposer leur pouvoir à des citadins résignés qui prennent peu à peu l'aspect de ces horribles bêtes, et Bérenger, à la fin de la pièce, n'échappe pas lui-même à la tentation de l'immonde métamorphose.

C'est dans *Le Roi se meurt* (1962) que le thème de la mort prend toute son ampleur. C'est à la lente agonie de Bérenger 1er que le spectateur est convié d'assister, à sa révolte contre l'absurdité de la vie, aux derniers soubresauts de l'existence qui s'échappe inexorablement.

La mort est également omniprésente dans *Le Piéton de l'air* (1963). Bérenger est, cette fois-ci, écrivain. Mais sa peur de mourir l'empêche de créer. Pour fuir cette angoisse, il s'invente un monde insolite, où il est possible d'espérer.

La signification du cycle Bérenger est claire. Ionesco, sous ce masque, exprime sa hantise et son horreur de la mort. En jouant sur la diversité des origines sociales de ces multiples Bérenger, il affirme que nul ne saurait échapper à l'anéantissement final, lot de la condition humaine.

La consécration

En 1966, Ionesco franchit un nouveau pas sur le chemin de la consécration avec la représentation à la Comédie-Française de *La Soif et la faim*, créée l'année précédente à Düsseldorf. Son élection, en 1970, à l'Académie française, puis la publication, en 1991, de son *Théâtre complet*, confirment son importance dans la vie théâtrale contemporaine.

À partir de 1970, un certain renouvellement des thèmes apparaît. Dans *Macbett* (1972), *Ce formidable bordel* (1978), *L'Homme aux valises* (1975) ou *Voyage chez les morts* (1980), l'effroi éprouvé face au néant se trouve, sinon atténué, tout au moins modifié, transformé par l'émergence d'une ironie mordante et d'une fantaisie dévastatrice.

■■■■■ UN THÉORICIEN DU THÉÂTRE

Le rejet du théâtre engagé

Ionesco n'est pas seulement l'un des grands auteurs dramatiques du XXe siècle. Il a également réfléchi sur son art. Dans plusieurs ouvrages, *Notes et contre-notes* (1962), *Journal en miettes* (1967), *Présent passé passé présent* (1968), *Antidotes* (1977) ou *Un homme en question* (1979), il exprime ses conceptions théâtrales. Il rejette notamment le théâtre engagé. Pour lui, l'auteur dramatique ne doit pas se pencher sur les événements historiques et politiques. Il repousse avec force ces éléments qu'il considère comme anecdotiques. Il cherche à élaborer un théâtre métaphysique qui se penche sur l'essentiel, sur ce qui définit fondamentalement l'homme, sur ce qui fait l'absurdité de son existence, limitée dans le temps, mise en cause par la mort inévitable.

La limitation du rôle du metteur en scène

Ionesco aborde aussi volontiers, dans ses écrits théoriques, des domaines plus techniques. Il considère en particulier qu'il faut limiter le rôle du metteur en scène. Non seulement il refuse au metteur en scène cette prééminence qui tendait, dans les années 60, à s'établir, mais encore il lui dénie la fonction de créateur. Le seul créateur est l'auteur dramatique. Le metteur en scène doit se contenter d'être un artisan, au service du texte qu'il doit fidèlement respecter.

2 Les caractéristiques du Nouveau Théâtre

Les bouleversements provoqués par la Seconde Guerre mondiale suscitent des remises en cause auxquelles la création n'échappe pas. Un souffle nouveau vient, en particulier, vivifier la littérature. Tandis qu'un profond sentiment de l'absurde, né des exterminations et des hécatombes, imprègne les œuvres, un désir de renouvellement s'empare des écrivains qui contestent l'écriture traditionnelle. Cette volonté d'innovation donne naissance à toute une série de courants, Nouveau Théâtre, Nouveau Roman, Nouvelle Critique, dont l'appellation même souligne l'orientation résolument novatrice.

Le Nouveau Théâtre, dont *La Cantatrice chauve* de Ionesco constitue comme l'acte de naissance, est aussi appelé *théâtre de l'absurde* ou *théâtre de la dérision*. Ces dénominations renvoient, en fait, à des contenus imprécis et ne désignent pas un mouvement structuré, une école littéraire. C'est pourquoi des auteurs dramatiques aussi différents que Samuel Beckett (1906-1989), Arthur Adamov (1908-1970), Jean Genet (1910-1986), Boris Vian (1920-1959), Robert Pinget (né en 1919), Harold Pinter (né en 1930) ou Fernando Arrabal (né en 1932) ont été, plus ou moins artificiellement, rattachés au Nouveau Théâtre. Malgré ce flou, il est cependant possible, pour ne retenir que l'essentiel, de dégager trois grandes caractéristiques dans le Nouveau Théâtre : la remise en cause de la dramaturgie traditionnelle, l'émergence du sentiment de l'absurde et la constatation de l'impossibilité de la communication entre les êtres, faute d'un langage porteur de sens.

REMISE EN CAUSE DE LA DRAMATURGIE TRADITIONNELLE

Le Nouveau Théâtre remet en question les formes tradi-
tionnelles de la dramaturgie, les considérant usées et ina-
daptées au monde moderne. En utilisant la parodie et l'ou-
trance, les nouveaux dramaturges contestent ce qui a,
pendant des siècles, été la fonction du théâtre. Rejetant le
réalisme dans la peinture des caractères ou dans la description des comportements sociaux, ils se refusent à considérer
le théâtre comme le reflet de la réalité quotidienne. Ils ne
veulent pas non plus d'une conception dramaturgique repo-
sant sur l'engagement et visant à faire passer un message
social ou politique. Ils ne souhaitent pas davantage que le
spectateur s'identifie aux personnages, qu'il se sente lié à
eux par des rapports de sympathie ou de répulsion. Ils
repoussent également le théâtre-action qui exploite des
intrigues complexes et élaborées. Ils ne sont pas sensibles
aux prestiges de la mise en scène que développe le théâtre-
spectacle. Ils n'admettent pas, enfin, qu'une œuvre dramatique puisse se limiter à une simple fonction de divertisse-
ment.

Rejetant ces diverses formules, ils proposent un théâtre
métaphysique qui met en scène des personnages dont la
valeur symbolique témoigne de la situation de l'homme dans
l'univers. Pour parvenir à ce but, ils transforment l'action dramatique traditionnelle, substituant à l'accumulation des faits
anecdotiques de l'intrigue tout un jeu sur le langage.

L'IMPORTANCE DU THÈME DE L'ABSURDE

Les auteurs du Nouveau Théâtre placent l'absurdité de la
vie humaine au centre de leurs pièces. La prédominance de
ce thème justifie l'appellation de *théâtre de l'absurde* que
l'on a également donnée au Nouveau Théâtre. Les personnages, dans cette conception théâtrale, apparaissent comme
des êtres angoissés, sans but dans l'existence ; ils essayent,
en vain, d'espérer encore, cherchant, à tâtons, une issue dans

un univers où ils n'ont pas leur place. Animés de comportements mécaniques et répétitifs, ils s'enlisent peu à peu dans un environnement en décomposition. Dans un monde en fin de course, ils continuent à vivre par habitude, en attendant une mort omniprésente qui les précipitera dans un néant définitif.

■■■■■ UN LANGAGE VIDE DE SENS

L'absurdité et l'incohérence de la vie humaine ont une expression dramaturgique privilégiée dans le langage qui tient lieu d'action. Le Nouveau Théâtre est, avant tout, un théâtre-texte qui met en évidence l'incapacité de l'homme à communiquer, à se comprendre et à comprendre l'autre. L'usure de l'existence et de la pensée se manifeste dans l'usure du langage qui installe l'incommunicabilité entre les êtres. Et les auteurs dramatiques multiplient les procédés pour en rendre compte. Banalité des propos, lieux communs, phrases destructurées, pauvreté ou, au contraire, technicité maniaque du vocabulaire, recours aux onomatopées, dialogue rapide fait de successions de courtes répliques sans lien entre elles ou longues tirades verbeuses : tout concourt à montrer comment le langage, au lieu d'être un instrument de communication, est un obstacle qui ne permet pas l'instauration d'échanges vrais entre les êtres humains.

1. instritution

3 **Résumé de** La Cantatrice chauve

■■■■ UN COUPLE BANAL : LES SMITH

Scène 1 : Tout au long de la scène 1, M. et Mme Smith, un couple anglais banal, se répandent en lieux communs, tiennent des propos incohérents, se livrent à des raisonnements bizarres, passent sans transition d'un sujet à l'autre.

Mme Smith commence par un long commentaire sur leur dernier repas. M. Smith, « continuant sa lecture, fait claquer sa langue » : il n'écoute guère sa femme. Dès le début, Ionesco affirme la difficulté à s'exprimer et l'impossibilité à communiquer qui régissent les rapports entre les êtres.

Mme Smith qui poursuit son discours « culinaire » en vient à évoquer le yaourt réputé d'« un épicier roumain, nommé Popesco Rosenfeld, qui vient d'arriver de Constantinople ». Ce personnage, décidément des plus cosmopolites, est « diplômé de l'école des fabricants de yaourt d'Andrinople ». Les considérations sur le yaourt, « excellent pour l'estomac, les reins, l'appendicite et l'apothéose », incitent Mme Smith à parler des médecins. M. Smith intervient alors pour établir une comparaison inattendue entre le médecin et le commandant d'un bateau : de même que le commandant doit disparaître dans le naufrage de son bateau, le médecin ne doit pas survivre à son malade.

M. Smith s'étonne de ce qu'on donne « toujours l'âge des personnes décédées et jamais celui des nouveau-nés », puis une discussion embrouillée se déroule, concernant les liens de parenté entre les membres d'une famille qui s'appellent tous, sans exception, Bobby Watson. Un désaccord les oppose alors, rythmé par la pendule qui sonne « sept fois »,

« trois fois », « aucune fois », « cinq fois », « deux fois », mais ils se réconcilient rapidement.

Scène 2 : Mary, la bonne, entre et raconte l'après-midi qu'elle a passé « avec un homme », au cinéma où ils ont vu « un film avec des femmes ». Elle annonce l'arrivée des Martin. Les Smith réprouvent le retard de leurs invités. Ils contredisent leurs propos précédents en se plaignant de n'avoir rien mangé de toute la journée et se retirent pour aller s'habiller.

■■■■ LES SURPRENANTES RETROUVAILLES DES MARTIN

Scène 3 : Dans une très courte scène, Mary fait entrer les Martin et leur reproche leur retard.

Scène 4 : Un dialogue étrange se déroule entre les Martin. Alors qu'ils sont mariés, ils ne se connaissent apparemment pas, tout en ayant l'impression de s'être rencontrés quelque part. Et dans une longue conversation ponctuée par le leitmotiv « Comme c'est curieux ! comme c'est bizarre ! », ils constatent de surprenantes coïncidences : l'un et l'autre sont originaires de Manchester, ont quitté cette ville « il y a cinq semaines environ », ont pris le même train, ont occupé le même wagon, le même compartiment, la même place ; ils habitent à Londres la même rue, le même numéro, le même appartement, dorment dans la même chambre, dans le même lit, ont la même petite fille.

Ainsi éclate l'extraordinaire révélation, parodie des reconnaissances du théâtre romantique : M. et Mme Martin tombent dans les bras l'un de l'autre en découvrant qu'ils sont mari et femme.

Scène 5 : De retour sur scène, Mary remet tragiquement en cause ces retrouvailles. En réalité, la fillette de Mme Martin a l'œil droit rouge et le gauche blanc, tandis que l'enfant de M. Martin a l'œil droit blanc et le gauche rouge. Ils ne sont donc pas ceux qu'ils croient être. Et avant de partir, la bonne révèle sa véritable identité : « Mon vrai nom », dit-elle, « est Sherlock Holmès. »

Scène 6 : Dans une très brève scène, les Martin, ignorant la cruelle vérité, se réjouissent de s'être retrouvés et s'engagent à ne plus se perdre.

■■■■■ UNE DÉTÉRIORATION PROGRESSIVE DU LANGAGE

Scène 7 : Ponctuée par les coups incohérents de la pendule, la conversation entre les Smith et les Martin s'engage difficilement. Des banalités se succèdent d'abord, sans liens apparents : les répliques brèves, séparées par de longs silences, soulignent la difficulté de la communication entre les deux couples qui, visiblement, s'ennuient et ne savent quoi dire. Mme Martin essaie de susciter l'intérêt en racontant une anecdote insignifiante qu'elle présente comme extraordinaire : elle a vu, dans la rue, un monsieur en train de nouer les lacets de sa chaussure.

La sonnette de la porte d'entrée retentit alors. Mme Smith va ouvrir et constate qu'il n'y a personne. Elle se déplace ainsi, en vain, à trois reprises, ce qui la conduit à en déduire cette règle paradoxale : « L'expérience nous apprend que lorsqu'on entend sonner à la porte, c'est qu'il n'y a jamais personne », ce qui soulève une polémique animée. La sonnette retentit à nouveau. M. Smith décide, à son tour, d'aller voir et annonce triomphalement : « C'est le capitaine des pompiers ! »

Scène 8 : Les deux couples interrogent le capitaine des pompiers pour tenter de résoudre l'énigme des coups de sonnette. Le mystère ne fait que s'épaissir : ce n'est pas le capitaine des pompiers qui a sonné les deux premières fois, et, d'autre part, il était là et n'a vu personne. C'est bien lui qui a sonné la troisième fois mais il s'était caché. Et c'est au quatrième coup de sonnette qu'on lui a ouvert. Il offre ses services pour éteindre d'éventuels feux, puis raconte plusieurs anecdotes incohérentes, tantôt d'une grande brièveté, tantôt, au contraire, fort longues et embrouillées.

Scène 9 : Survient Mary, la bonne, qui veut, elle aussi, raconter une anecdote, à la grande indignation des Smith qui trouvent son intervention déplacée. Mais il apparaît qu'elle est une amie du pompier. Sur l'insistance des Martin, on lui laisse donc la parole, et c'est finalement un poème intitulé *Le Feu* qu'elle récite en l'honneur du capitaine.

Scène 10 : Le pompier prend congé des Smith et des Martin en invoquant un incendie qu'il aura à éteindre « dans trois quarts d'heure et seize minutes exactement ». Avant de partir, il demande : « À propos, et la Cantatrice chauve ? » Cette seule allusion au personnage énigmatique qui donne son nom à la pièce provoque un silence gêné, puis cette réponse tout aussi énigmatique de Mme Smith : « Elle se coiffe toujours de la même façon ! »

Scène 11 : Les Smith et les Martin restés seuls, la détérioration du langage s'accélère. Ils échangent des lieux communs, sous forme de proverbes ou d'affirmations incohérentes. Leurs répliques se font de plus en plus brèves. Leurs paroles tendent à n'être plus que des sons proches de l'onomatopée. Ils finissent tous ensemble par répéter frénétiquement : « C'est pas par là, c'est par ici ! » Tout cesse brusquement et « La pièce recommence avec les Martin, qui disent exactement les répliques des Smith dans la première scène », ce qui montre le caractère interchangeable des personnages et, plus généralement, des êtres humains.

4

Les piétinements de l'action dans La Cantatrice chauve

Ionesco a intitulé *La Cantatrice chauve* « anti-pièce ». Il précise ainsi, dès le début, son projet. Il s'agit pour lui de provoquer, de prendre le contre-pied de l'écriture théâtrale traditionnelle. Certes, il semble en respecter les règles de fonctionnement : il met, en effet, en scène des personnages qui échangent des répliques ; il adopte dans cette courte œuvre en un acte la division habituelle, répartissant la matière de sa pièce dans onze scènes ; il tient globalement compte des caractéristiques propres au théâtre. Mais ce n'est que faux-semblants. Ionesco s'ingénie à organiser un système dramaturgique qui, comme nous allons le voir, parodie les conventions.

L'action, autour de laquelle se construit toute pièce, est détournée par Ionesco de sa fonction habituelle. Le théâtre traditionnel met en œuvre une action dynamique, souvent complexe et animée de nombreux rebondissements. Elle est amorcée par une exposition qui fournit au spectateur les indications nécessaires à la compréhension de l'intrigue, et s'achève sur un dénouement, issue logique de la pièce. *La Cantatrice chauve* ne répond guère à ce schéma conventionnel : Ionesco l'a construite autour de discussions statiques qui, délibérément, ne mènent à rien.

■■■■■ UNE INTRIGUE DÉROUTANTE

Dès la liste des personnages, Ionesco révèle le caractère déroutant de sa pièce que l'organisation de l'action ne fera que confirmer tout au long de son déroulement.

La bizarrerie de la liste des personnages

La liste des personnages fournit souvent des renseignements instructifs sur le contenu d'une pièce. Ionesco suscite volontairement la perplexité. *La Cantatrice chauve* met en scène six personnages. Les Smith et la bonne, Mary, portent des noms ostensiblement anglais. Les Martin reçoivent un patronyme international, aussi courant en France qu'en Angleterre. Le capitaine des pompiers reste anonyme et sa présence surprend dans cet « Intérieur bourgeois » paisible où, d'après une indication scénique, se déroule l'action. La bizarrerie de cette liste des personnages est encore accentuée par une absence remarquable : elle ne contient aucune trace de la cantatrice chauve dont la pièce porte pourtant le nom.

La minceur de l'intrigue

Tout au long de la représentation, la perplexité du spectateur va aller en s'accentuant. L'action, au sens traditionnel du terme, est pratiquement inexistante. L'essentiel de la pièce est constitué de conversations interminables et banales entre les Smith, les Martin, la bonne, Mary, et le capitaine des pompiers. Aucune unité apparente ne vient lier ces propos qui se succèdent de façon décousue. Le spectateur, dérouté, se demande ce dont il est question. Il attend d'éventuels faits nouveaux, d'éventuels rebondissements qui donneraient son sens à la pièce. Il s'interroge sur la manière dont elle pourrait s'achever.

Cette minceur de l'action représente une véritable gageure pour Ionesco. Elle risque, en effet, de créer ennui et désintérêt de la part du public et de conduire le spectacle à l'échec. Mais l'auteur joue justement sur cette perplexité des spectateurs. Il gagne la partie, en déplaçant l'intérêt. L'interrogation du public ne porte plus alors sur l'action où se trouvent engagés les personnages, mais sur les motivations du dramaturge, sur les effets qu'il recherche. C'est la réflexion qui est sollicitée.

Engagés dans une démarche intellectuelle, les spectateurs ont ainsi la satisfaction de comprendre le double but de la

pièce : montrer le vide du langage et démystifier le fonctionnement théâtral traditionnel. Ils s'apercevront ainsi que
l'exposition, les coups de théâtre et le dénouement sont uti-
lisés, de façon perverse, pour parvenir à ces deux objectifs.

■■■■ UNE EXPOSITION[1]
DIFFUSE

Étant donné la quasi-inexistence de l'action, *La Cantatrice
chauve* ne saurait comporter de véritable exposition, puisque
aucun fait précis n'est nécessaire pour comprendre le déroulement de la pièce. Ionesco procède donc de façon diffuse.

Des informations ambiguës

Les informations fournies sont volontairement ambiguës.
En choisissant comme titre *La Cantatrice chauve*, Ionesco
engage le spectateur sur une fausse piste. Il l'amène à s'interroger sur un personnage qui ne figure pas dans la pièce
et auquel il n'est fait qu'une brève allusion à la scène 10.
Les données les plus importantes se trouvent, par ailleurs,
contenues dans les didascalies[2] qui précèdent la scène 1.
« Intérieur bourgeois anglais, avec des fauteuils anglais. Soirée anglaise (...). M. Smith, Anglais (...). Mme Smith, Anglaise
(...) » : l'action se déroule en Angleterre et met en scène un
couple de bourgeois. Mais il est paradoxal d'insérer ces indications précises dans un texte liminaire. Qu'elles soient en
effet, comme c'était le cas lors de la création de la pièce,
révélées au spectateur par un personnage invisible (ce qu'on
appelle une voix *off*) ou qu'elles lui échappent, Ionesco
s'éloigne du fonctionnement traditionnel de la didascalie :
dans le premier cas, elle n'est plus réservée au lecteur et
au metteur en scène, dans le second, elle fournit à ce dernier
des renseignements subjectifs, comme « Soirée anglaise »,
dont il ne pourra pas donner une transcription concrète.

---

1. Dans l'exposition, l'auteur de théâtre fournit au spectateur les renseignements indispensables à la compréhension de l'action.
2. On appelle *didascalies* des indications scéniques fournies en dehors
du dialogue théâtral, hors des paroles prononcées par les personnages.

Le vide des premiers dialogues

En dehors de ces éléments déroutants, seule la tonalité de la conversation qui s'engage, à la scène 1, entre les deux époux est susceptible d'éclairer le public d'abord surpris par la grande banalité et par l'incohérence des propos :

> MME SMITH. — Tiens, il est neuf heures. Nous avons mangé de la soupe, du poisson, des pommes de terre au lard, de la salade anglaise. Les enfants ont bu de l'eau anglaise. Nous avons bien mangé, ce soir. C'est parce que nous habitons dans les environs de Londres et que notre nom est Smith.

Puis, progressivement, le spectateur se rend compte que ce sont justement la banalité des propos et leur incohérence qui constituent le sujet de la pièce.

DES COUPS DE THÉÂTRE DÉRISOIRES

Dans l'écriture théâtrale traditionnelle, les coups de théâtre ont pour fonction de relancer l'intérêt du spectateur. Ionesco y a recours : il ne peut, en effet, construire toute une pièce autour de propos répétitifs et d'une grande platitude. Les coups de théâtre vont lui permettre de faire diversion, d'apporter quelque piment, de délasser son public. Mais, une fois encore, il utilise cette technique dans une perspective de contestation, de démystification.

L'incohérence

Ionesco tourne le coup de théâtre en dérision, en le rendant incohérent. C'est ainsi que fonctionne le double coup de théâtre des scènes 4 et 5. A la scène 4, dans un long dialogue, Donald et Élisabeth Martin, au constat de toute une série de coïncidences, en déduisent qu'ils se connaissent et même, ô surprise !, qu'ils sont mariés. Mais ce coup de théâtre incohérent est bientôt annulé par une autre coup de théâtre tout aussi surprenant. Dans un monologue, Mary, à la scène 5, révèle que toutes ces coïncidences n'ont aucune signification parce que l'une d'elles est fausse :

La fillette de Donald a un œil blanc et un autre rouge tout comme la fillette d'Élisabeth. Mais tandis que l'enfant de Donald a l'œil blanc à droite et l'œil rouge à gauche, l'enfant d'Élisabeth, lui, a l'œil rouge à droite et le blanc à gauche ! Ainsi tout le système d'argumentation de Donald s'écroule en se heurtant à ce dernier obstacle qui anéantit toute sa théorie. Malgré les coïncidences extraordinaires qui semblent être des preuves définitives, Donald et Élisabeth n'étant pas les parents du même enfant ne sont pas Donald et Élisabeth.

L'incohérence des déductions est renforcée par le recours au vocabulaire de l'argumentation (« système d'argumentation », « théorie », « preuves ») et par la pirouette finale qui met en cause l'identité même de Mary qui confie avant de quitter la scène : « Mon vrai nom est Sherlock Holmès. »

Aux scènes 7 et 8, la dérision, accompagnée cette fois d'un effet de suspense, est à nouveau utilisée. L'alliance paradoxale de la logique et de l'incohérence est à la base d'un double coup de théâtre. Alors que, dans un premier temps, il apparaît que le déclenchement d'une sonnette est la preuve irréfutable qu'il n'y a personne à la porte, le pompier révèle que finalement c'est bien lui qui a sonné la troisième et la quatrième fois, mais pas les deux premières fois, laissant ainsi l'assistance dans l'incertitude.

L'insignifiance

Parfois, c'est sa totale insignifiance qui vient démystifier le coup de théâtre et l'effet de suspense. Ionesco se livre fréquemment à ce petit jeu du dérisoire. Il se manifeste, en particulier, dans les anecdotes que se racontent les personnages. Ainsi, Mme Martin fait le récit d'une aventure vécue :

> Eh bien, j'ai assisté aujourd'hui à une chose extraordinaire. Une chose incroyable (...). Eh bien, aujourd'hui, en allant au marché pour acheter des légumes qui sont de plus en plus chers... (...). J'ai vu, dans la rue, à côté d'un café, un Monsieur, convenablement vêtu, âgé d'une cinquantaine d'années, même pas, qui... (...). Eh bien, vous allez dire que j'invente, il avait mis un genou par terre et se tenait penché. (...). Si, penché. Je me suis approchée de lui pour voir ce qu'il faisait... (...). Il nouait les lacets de sa chaussure qui s'étaient défaits »
> (Scène 7)

Sans cesse interrompu par les autres personnages qui s'extasient artificiellement, ce récit anodin souligne la vacuité de

la vie des Martin et des Smith qu'un rien surprend. Il constitue, par ailleurs, une parodie de ces conversations au cours
desquelles chacun, à tour de rôle, raconte un événement qui
lui est arrivé, devant une assistance feignant poliment l'attention et l'intérêt, à charge de revanche.

■■■■ UN SEMBLANT DE DÉNOUEMENT

Commencée de manière énigmatique, conduite de façon
déroutante, la pièce ne pouvait connaître qu'une fin surpre-
nante.

La Cantatrice chauve s'achève, à la scène 11, sur un semblant de dénouement. Une agressivité soudaine marque les
échanges de propos qui deviennent de plus en plus incohérents, et se transforment en sons dénués de signification.
Les Smith et les Martin se mettent à scander frénétiquement
ensemble :

> C'est pas par là, c'est par ici, c'est pas par là, c'est par ici,
> c'est pas par là, c'est par ici, c'est pas par là, c'est par ici,
> c'est pas par là, c'est par ici, c'est pas par là, c'est par ici !

Ces paroles vides de sens débouchent ainsi paradoxalement sur un constat commun : dans un monde absurde, le
langage a perdu son rôle de trait d'union entre les êtres et
ne fait qu'accentuer l'incommunicabilité.

Le caractère surprenant de ce dénouement est encore
accentué par une ébauche de reprise de l'action. Ce sont,
en effet, ces indications scéniques qui viennent clore la
pièce :

> Les paroles cessent brusquement. De nouveau, lumière.
> M. et Mme Martin sont assis comme les Smith au début de
> la pièce. La pièce recommence avec les Martin, qui disent
> exactement les répliques des Smith dans la première scène,
> tandis que le rideau se ferme doucement.

Après la frénésie revient le calme du début. Non seulement, tout recommence dans cet univers d'ennui, mais
encore, les personnages se révèlent interchangeables dans
un monde où rien ne bouge, où tout se ressemble.

5

Le rejet des conventions théâtrales dans La Cantatrice chauve

Ionesco ne se contente pas de remettre en cause le fonctionnement de l'action dramatique. Dans sa volonté de prendre le contre-pied du théâtre traditionnel, d'en dénoncer les conventions, il s'ingénie à traiter, de façon déroutante, le lieu, le temps et les indications scéniques, ces ingrédients obligés de l'écriture théâtrale.

LES AMBIGUÏTÉS DU LIEU UNIQUE ET CLOS

Le lieu constitue un élément essentiel dans une pièce de théâtre. C'est lui qui contribue, en grande partie, à créer l'atmosphère de la représentation. C'est lui qui détermine l'élaboration du décor. Dans ce décor, prennent place les objets, les accessoires, créateurs de pittoresque, tandis que s'effectuent les entrées, les sorties et les mouvements des personnages qui participent au dynamisme de l'action dramatique. Toutes ces données ont été interprétées de façon originale par Ionesco qui s'en est servi, à la fois, pour remettre en cause le théâtre traditionnel et pour illustrer la monotonie et l'absurdité de l'existence.

Un « Intérieur bourgeois anglais »

La Cantatrice chauve se déroule dans un lieu unique. Ionesco a ainsi adopté le système traditionnel du théâtre français classique du XVIIe siècle. Mais c'est surtout pour lui une façon de se moquer du théâtre de boulevard du XXe siècle qui prolonge cette tradition, en situant systématiquement l'action dans un salon bourgeois. En procédant ainsi, Ionesco crée, par ailleurs, un espace clos dans lequel les personnages sont confinés : voilà qui contribue à concrétiser la difficulté qu'éprouvent les êtres à cohabiter et à communiquer.

Comme il est indiqué au début de la scène 1, c'est un « Intérieur bourgeois anglais » qui sert de décor à l'action. L'ameublement est sommairement décrit. Il est composé, pour l'essentiel, de « fauteuils anglais ». Ces sièges sont, au moins, au nombre de cinq : M. Smith est assis « dans son fauteuil (...) anglais », et Mme Smith a pris place « dans un autre fauteuil anglais ». Une autre indication signale, à la scène 7, que Mme et M. Smith s'assoient en face des visiteurs, le couple Martin ; enfin, à la scène 8, il est noté que le pompier « s'assoit ». Ce décor est complété par « un feu anglais » et par une « pendule anglaise » qui joue, on le verra, un rôle important dans le fonctionnement temporel de la pièce. Une dernière indication apporte encore une précision : à la scène 1, Mme Smith rappelle à son mari qu'ils habitent « dans les environs de Londres ».

Tous ces éléments ont, en fait, un rôle symbolique que venait souligner le décor lors de la création de la pièce : il ne comportait que des meubles sans caractère particulier qui contredisaient le contenu des indications scéniques révélé par la voix off. En optant ainsi pour un décor neutre, Ionesco entend clairement montrer que les Smith représentent le couple moyen par excellence. En introduisant, par ailleurs, en contrepoint, un ameublement anglais, il adresse un clin d'œil à son public français : dans la France des années 1950, ce type de meubles évoquait, en effet, un intérieur cossu qui répondait aux goûts des membres de la classe moyenne.

Des accessoires marqués par la banalité

La pièce comporte peu d'accessoires. Ionesco ne recherche pas, en effet, le réalisme. Les rares objets présents n'ont aucun caractère d'originalité, ils ne surprennent pas le spectateur, mais sont, au contraire, en quelque sorte, attendus. Des pantoufles, une pipe, un journal, des lunettes, pour M. Smith, des chaussettes à raccommoder, pour Mme Smith, signalés au début de la scène 1, constituent des éléments presque caricaturaux : ils sont là pour souligner le caractère conventionnel de la vie du couple. Le qualificatif « *anglais* », inlassablement et absurdement répété à propos de ces accessoires, renforce cet aspect : cet adjectif, comme lorsqu'il s'appliquait au décor, a une signification symbolique, tout en créant un effet humoristique suscité par la répétition lancinante du terme.

Un dernier détail est mentionné à la scène 8 : le pompier a, « bien entendu, un énorme casque ». L'évidence de cet accessoire qui définit traditionnellement ce personnage se trouve encore accentuée par la précision « bien entendu ».

Des entrées et des sorties volontairement conventionnelles

Dans une pièce de théâtre, les mouvements des personnages donnent de l'ampleur, de l'espace à l'action dramatique, lui permettent d'occuper la scène. En particulier, les entrées et les sorties sont déterminantes : elles correspondent concrètement au passage des acteurs des coulisses à la scène ou, inversement, de la scène aux coulisses ; elles constituent des moments privilégiés où les comédiens commencent à être sous le regard du spectateur ou, au contraire, à lui échapper ; elles offrent la possibilité, en modifiant la liste des personnages en présence, de renouveler la situation dramatique.

Dans ce domaine, Ionesco utilise les procédés conventionnels : en y ayant recours de façon systématique et donc caricaturale, il démystifie le fonctionnement théâtral traditionnel, en révèle le caractère artificiel. Les portes par lesquelles entrent et sortent les personnages répondent au dispositif le plus simple possible. La didascalie qui précède la scène 3 en rend compte avec précision : « Mme et M. Smith sortent à droite. Mary ouvre la porte à gauche par laquelle entrent M. et Mme Martin. » Le décor compte donc deux portes, une à droite qui fait communiquer la pièce principale avec le reste de la maison, l'autre qui ouvre sur l'extérieur. Ionesco, comme dans le théâtre traditionnel, s'applique consciencieusement à noter, dans des didascalies, ces entrées et ces sorties : « Mary, entrant » (Scène 2) ; « Mme et M. Smith entrent à droite » (Scène 7) ; « Le pompier s'en va » (Scène 10).

Ionesco reprend également les habitudes qu'avait instaurées le théâtre classique français du XVIIe siècle. Il ne laisse jamais le décor vide : un personnage au moins de la scène précédente figure dans la scène suivante. Ainsi s'établit-il des liens étroits entre les différentes scènes ; les renouvellements des personnages s'effectuent par le jeu des entrées ou des sorties et donnent lieu à ce qu'on appelle des *liaisons d'arrivée* ou des *liaisons de départ*.

Ionesco pousse jusqu'à l'extrême cette adhésion ironique aux conventions théâtrales. Il adopte notamment le procédé de la scène de transition, passage rapide et sans intérêt destiné à changer la totalité des personnages, tout en évitant de laisser le théâtre vide. À la scène 2, figuraient les Smith. Pour les remplacer, après leur sortie, par les Martin (Scène 4), il ménage une scène de transition dans laquelle Mary, présente à la scène précédente, accueille les visiteurs. Avec une brièveté comique, elle se contente de ces commentaires :

> Pourquoi êtes-vous venus si tard ! Vous n'êtes pas polis. Il faut venir à l'heure. Compris ? Asseyez-vous quand même là, et attendez, maintenant. (Scène 3)

De la même façon, les conventions théâtrales sont également respectées au début de la pièce. Comme c'est souvent le cas, la conversation entre les personnages est censée avoir déjà commencé lorsque débute la représentation : « Tiens, il est neuf heures », dit Mme Smith (Scène 1). Voilà qui, par ailleurs, donne l'impression faussement réaliste que les personnages fictifs ont, en quelque sorte, une vie autonome, continuent à exister en dehors de l'action théâtrale.

Des mouvements de personnages stéréotypés

Mises à part les entrées et les sorties, les mouvements des personnages sur scène sont relativement peu nombreux, ce qui vient renforcer encore le caractère statique de la pièce. Ils sont, par ailleurs, stéréotypés, dénués de tout pittoresque. Les personnages se bornent à se lever (« Elle se lève », Scène 1), à s'asseoir (« Elle se rasseoit », Scène 7) ou à aller ouvrir la porte (« Elle va voir. Elle ouvre et revient », Scène 7). Ils s'embrassent fréquemment (« Il la prend par la taille et l'embrasse », Scène 1 ; « Ils s'embrassent sans expression »,

Scène 4 ; « Il embrasse ou n'embrasse pas Mme Smith »,
Scène 8). Mais les indications scéniques montrent qu'il s'agit
d'un geste machinal, expression obligée d'une tendresse
imposée par les conventions sociales.

En fait, les seuls mouvements spontanés et vrais sont des
gestes de colère, manifestations brutales de révolte contre
l'absurdité de la vie : « Elle jette les chaussettes très loin et
montre ses dents » (Scène 1) ; « Mme Smith, qui fait une
crise de colère » (Scène 7) ; « À la fin de cette scène, les
quatre personnages devront se trouver debout, tout près les
uns des autres, criant leurs répliques, levant les poings, prêts
à se jeter les uns sur les autres » (Scène 11).

▄▄▄ LES SURPRISES ET LES FANTAISIES DU TEMPS

Le temps joue un rôle tout à fait particulier dans l'action
dramatique. Dans les romans, le temps de déroulement de
l'action est indépendant du temps de la lecture, parce que
le lecteur est libre de choisir le moment et la vitesse de sa
lecture. Au théâtre, au contraire, le temps de l'intrigue occupe
un temps de représentation précis auquel le spectateur est
obligé de se soumettre. Il se pose donc un problème de
coïncidence : le temps de la fiction doit-il correspondre au
temps de la représentation ? Certains systèmes dramatiques,
comme celui des classiques du XVIIᵉ siècle, ont répondu par
l'affirmative. D'autres ont considéré, au contraire, que le
temps de la fiction pouvait dépasser largement le temps de
la représentation. Ionesco procède, dans *La Cantatrice
chauve*, de façon volontairement ambiguë. Un certain réalisme semble, en effet, au premier abord, être à la base du
traitement du temps. Mais Ionesco s'ingénie aussi parfois à
le rendre flou : il introduit des données temporelles incohérentes et joue sur les silences et sur les répétitions.

Un traitement apparemment réaliste du temps

Le traitement du temps semble, en première analyse,
marqué par le réalisme. Dès le début de la pièce, Mme Smith

précise en effet : « Tiens, il est neuf heures (...). Nous avons bien mangé, ce soir » (Scène 1). Mary, à l'arrivée des Martin, confirme : « Ils devaient dîner avec vous, ce soir » (Scène 2) et leur reproche, en les accueillant : « Pourquoi êtes-vous venus si tard ! » (Scène 3). Ionesco s'est visiblement amusé à accumuler les détails qui indiquent, de façon apparemment précise, quand se déroule l'action : il est incontestablement neuf heures du soir.

Par ailleurs, le respect de la liaison des scènes, qui a été constaté plus haut, semble indiquer que le temps de l'action correspond exactement au temps de la représentation. En effet, à partir du moment où les personnages se succèdent sur le théâtre sans interruption, sans hiatus, la continuité temporelle est garantie. Il ne peut pas y avoir de rupture entre les scènes. Ionesco semble inviter le spectateur à assister à des conversations qui se déroulent devant lui, en temps réel.

Un temps détraqué

Mais c'est là une fausse piste où Ionesco engage malicieusement son public. Sous une apparence trompeuse de traitement réaliste, le temps possède une valeur subjective. Il est ambigu, flou. Bien plus, il apparaît détraqué, à l'image de cette « pendule anglaise » qui « frappe » des « coups anglais » (début de la scène 1). Tout au long de la scène 1, elle perd complètement le sens rationnel du temps. Elle frappe d'abord « dix-sept coups », en contradiction avec la remarque de Mme Smith : « Tiens, il est neuf heures ». Puis, elle sonne tour à tour « sept fois », « trois fois », « aucune fois », « cinq fois », « deux fois ». À la scène 4, après avoir retenti « 2-1 », elle sonne « vingt-neuf fois », « une fois », puis « plusieurs fois ».

L'absurdité est encore renforcée par l'absence totale de progression des sonneries dans un sens ou dans l'autre et par le déclenchement de sonneries « 2-1 »[1] et « vingt-neuf fois » qui ne correspondent à rien, qui sont en dehors de toute réalité. Cette incohérence est d'ailleurs soulignée par M. Smith qui constate à propos de la pendule : « Elle marche

1. La pendule devrait sonner *en même temps* deux coups et un coup, ce qui est naturellement impossible, donc absurde.

mal. Elle a l'esprit de contradiction. elle indique toujours le contraire de l'heure qu'il est » (Scène 8). En faisant ce constat, il ajoute une incohérence de plus : comment, en effet, une heure peut-elle être le contraire d'une autre ?

Dans ce monde absurde, on ne peut décidément se fier à rien, même pas au temps. Cette incohérence soulignée par la pendule se trouve reprise sur un autre mode, aux scènes 7 et 8 : c'est cette fois-ci la sonnette de la porte d'entrée qui la révèle. La certitude n'existe pas. L'existence est traversée de contradictions : « Quand on entend sonner à la porte », est-ce la preuve « qu'il y a quelqu'un » ou, au contraire, « qu'il n'y a jamais personne » (Scène 7) ?

Ce dérèglement du temps revêt bien d'autres aspects. Il s'avère difficile de dater, de façon précise, des événements passés. Ainsi, lorsque M. Smith lit, dans son journal, l'annonce de la mort de Bobby Watson, il donne, successivement et avec une égale assurance, des indications différentes sur la date de ce décès : « Il est mort il y a deux ans » ; « (...) on a été à son enterrement, il y a un an et demi » ; « Il y a déjà trois ans qu'on a parlé de son décès » ; « (...) il y avait quatre ans qu'il était mort (...) (Scène 1).

Comme le présent et le passé, l'avenir échappe aussi à l'homme qui doit se soumettre à des impératifs dont il ne connaît pas la justification. Lorsque le pompier annonce, à la scène 10, « (...) moi, dans trois quarts d'heure et seize minutes exactement j'ai un incendie à l'autre bout de la ville », il souligne ainsi que le temps lui est imposé, qu'il est un instrument entre les mains d'un destin qui en dispose à sa guise.

Les silences et les répétitions, marques de l'ennui

La multiplication des silences contribue à l'impression de morcellement, de discontinuité du temps. Tout au long de la pièce, nombreuses sont les didascalies qui signalent l'interruption du dialogue : « Pause », « Un long temps » (Scène 1) et, surtout, « Silence » ne cessent de ponctuer la pièce. C'est là, pour Ionesco, un moyen de faire saisir concrètement l'ennui qui s'instaure entre les êtres. Ils communiquent difficilement. Sans cesse, des silences viennent hacher leurs propos dont le manque de suivi, l'incohérence se trouvent ainsi accentués.

Un autre procédé contribue à cet effet de rupture, tout en renforçant l'impression d'ennui et l'absence de communication. Ce sont les répétitions et les recommencements. La reprise, à la scène 1, par huit fois, du même jeu de scène : « M. Smith, continuant sa lecture, fait claquer sa langue » transforme le personnage en un être au comportement répétitif d'automate, incapable de réellement entendre ce que lui dit son épouse. Par ailleurs, le retour final à la situation de départ montre que tout est décidément éternel recommencement ; l'échange des rôles entre les Smith et les Martin souligne l'indétermination, le flou des personnages dont la continuité de l'existence est contestée.

■■■■■ UNE UTILISATION ORIGINALE DES DIDASCALIES

Les indications scéniques sont une des caractéristiques de l'œuvre théâtrale. C'est, pour l'auteur, le moyen de révéler au metteur en scène comment il conçoit la représentation de sa pièce. Elles peuvent être contenues dans le texte prononcé par les personnages, ou bien elles peuvent lui être extérieures, et constituent alors ce qu'on appelle des didascalies. C'est ce second type d'indications scéniques que Ionesco privilégie. Il les multiplie et leur donne une signification originale qui s'inscrit dans sa volonté de démystification du théâtre traditionnel.

La prépondérance des didascalies

La Cantatrice chauve ne contient pratiquement pas d'indications scéniques intérieures au dialogue. La signification symbolique des personnages et le caractère mécanique de leur comportement expliquent cette absence : dans ces conditions, ils ne peuvent guère apporter de renseignements sur leurs mimiques, leurs attitudes ou leurs mouvements.

Les indications extérieures, les didascalies, jouent donc un rôle pratiquement exclusif. En très grand nombre, elles fournissent, comme c'est la règle, les renseignements les plus divers. Tantôt, elles donnent des indications concernant le lieu (« Intérieur bourgeois », Scène 1) et les accessoires (« Il a, bien entendu, un énorme casque », Scène 8). Tantôt, elles renseignent, en l'occurrence de façon déroutante, sur le temps (« La pendule anglaise frappe dix-sept coups anglais », Scène 1). Tantôt, elles apportent des précisions sur les personnages : elles révèlent alors leurs attitudes (« M. Smith, continuant sa lecture, fait claquer sa langue », Scène 1), leurs mimiques (« Mme Martin, ouvrant tout grand la bouche », Scène 11), leurs sentiments (« Le pompier, jaloux », Scène 8), leurs mouvements sur scène (« Mary, entrant », Scène 2), les destinataires particuliers de certaines répliques (« M. Smith, à sa femme », Scène 8) ou, encore, le caractère collectif des interventions (« Tous ensemble », Scène 11).

Précision et imprécision des didascalies

La plupart de ces didascalies apparaissent d'une grande précision. Ionesco laisse ainsi déjà percer ce souci de la mise en scène qui s'affirmera par la suite. Pour lui, c'est à l'auteur de théâtre de déterminer les conditions de représentation auxquelles le metteur en scène doit impérativement se soumettre. Dans *Un homme en question* (1979), il mettra clairement en évidence cette nécessaire subordination du metteur en scène au dramaturge, en critiquant les pratiques contraires qui tendaient alors à s'imposer :

> Une pièce de théâtre est à la fois un témoignage et une construction. J'ai quelque chose à dire. Je me fie au metteur en scène pour qu'il porte ce témoignage. Le metteur en scène à la mode ne tient aucun compte de cela. Mon témoignage ne l'intéresse pas. Il veut parler de son témoignage à lui. Il peut le faire, mais non pas en tant que metteur en scène. Il n'a qu'à se faire auteur. Tant qu'il exerce la fonction de metteur en scène, il est chef d'orchestre, il est exécutant.

Lorsqu'il écrit sa première pièce, Ionesco n'a pas encore cette conception des rapports entre dramaturge et metteur en scène. Si des indications scéniques apparaissent précises, il en est d'autres qui sont, au contraire, bien vagues, soumises aux interprétations. Lorsque, par exemple, il est indiqué « Mary, entrant » (Scène 2), rien ne signale de quelle manière elle entre. Bien plus, parfois, comme dans cette didascalie : « Il embrasse ou n'embrasse pas Mme Smith »

(Scène 8), l'auteur laisse, avec humour, le choix au metteur en scène. Il va encore plus loin dans cette direction, lorsqu'il met en contradiction une didascalie et des propos d'un personnage : « LE POMPIER. — (...) Je veux bien enlever mon casque, mais je n'ai pas le temps de m'asseoir. (Il s'assoit, sans enlever son casque.) » (Scène 8).

Didascalies « fonctionnelles » et didascalies « littéraires »

Parmi les didascalies, certaines correspondent à la pratique traditionnelle. D'une grande brièveté, elles n'ont qu'un rôle fonctionnel, servant exclusivement à fournir des indications de mise en scène.

Mais il en est d'autres qui sont d'une nature différente. Fréquemment, dans *La Cantatrice chauve*, Ionesco a soigneusement rédigé de longues didascalies, dans une perspective littéraire. Comme celle qui précède la scène 1, dans laquelle il manie l'humour, en multipliant les adjectifs « anglais », elles sont alors autant destinées à la lecture qu'à la représentation. Elles ne donnent même, parfois, aucun renseignement utile au metteur en scène : comment, par exemple, rendre concrètement le « silence anglais » indiqué par l'auteur ? En procédant ainsi, Ionesco souligne l'ambivalence du texte théâtral qui est, à la fois, soumis à la lecture et à la représentation.

6 La signification symbolique des personnages de La Cantatrice chauve

Dans une pièce de théâtre, les personnages sont particulièrement importants : ils sont, en effet, les seuls à prendre la parole ; le dramaturge ne peut s'exprimer directement, contrairement au romancier qui a la possibilité d'intervenir en tant que narrateur.

Pour construire ses personnages, l'auteur de théâtre a le choix entre plusieurs solutions. Par le jeu d'affrontements dynamiques, il peut, tout d'abord, en faire de simples moteurs de l'action, des instruments de l'intrigue. Il peut, au contraire, les individualiser fortement, se donner comme but de peindre en détail leurs caractères et leurs comportements. Il peut aussi les présenter comme des symboles d'un fonctionnement social et politique. Il peut, enfin, les poser comme des représentants de l'être humain en général et montrer ainsi quelle est la place de l'homme dans l'univers.

Dans *La Cantatrice chauve*, l'action dramatique est réduite à sa plus simple expression, ôtant aux personnages tout fonctionnement dynamique. La peinture des caractères n'est pas non plus ce que recherche Ionesco : ses personnages sont flous, parfois même interchangeables. C'est, en fait, essentiellement la dimension métaphysique qui a guidé l'auteur dans leur élaboration.

■■■ LES SMITH, IMAGES DE L'INSIGNIFIANCE HUMAINE

Ionesco fournit des détails relativement nombreux sur les Smith. Mais ils servent moins à les caractériser qu'à les transformer en symboles métaphysiques. Ils sont l'image même de l'insignifiance des êtres : englués dans leurs habitudes, incapables de communiquer véritablement entre eux, ils ne parviennent pas à donner un sens à leur existence.

Des âges incertains

Ionesco n'apporte que des indications indirectes sur l'âge des Smith. La couleur « grise » de la « petite moustache » (Scène 1) dont est affublé M. Smith donne à penser qu'il n'est plus tout jeune. À la fin de la scène 1, la remarque qu'il adresse à sa femme, après leur dispute et leur réconciliation : « Quel ridicule couple de vieux amoureux nous faisons ! » révèle qu'ils sont mariés depuis longtemps. Ils ont, par ailleurs, une petite fille de « deux ans » (Scène 1), ce qui laisse supposer qu'ils ne sont pas cependant très âgés. Il s'agit, en fait, de personnages entre deux âges, d'un âge aussi flou, aussi incertain que peut l'être leur personnalité.

Une situation familiale ordinaire

Toujours dans l'intention de faire des Smith les représentants de la condition humaine, Ionesco leur prête une situation familiale ordinaire, sans relief. Ils sont mariés et ont trois enfants : un jeune fils, une fille plus âgée et une fillette en bas âge. Mme Smith parle, en effet, de « Notre petit garçon », puis remarque : « Hélène me ressemble : elle est bonne ménagère, économe, joue du piano », avant de noter : « C'est comme notre petite fille qui ne boit que du lait et ne mange que de la bouillie. Ça se voit qu'elle n'a que deux ans. Elle s'appelle Peggy » (Scène 1).

Ils constituent une famille qui correspond tout à fait aux normes de l'époque, le nombre d'enfants par couple étant alors en moyenne, en France, de 2,5 !

Une habitation sans caractère

Toujours pour les mêmes raisons, Ionesco assigne aux Smith une habitation sans caractère particulier. Comme le note Mme Smith, ils résident « dans les environs de Londres » (Scène 1). Leur intérieur, nous l'avons vu, est celui d'un Anglais ou d'un Français moyen. Il reflète un souci de calme et de confort. Quant à leur environnement, évoqué notamment à la scène 1, avec les voisins Parker, l'épicier, le médecin, il fait tout à fait penser à la vie paisible et monotone des banlieues des grandes métropoles européennes.

Un habillement sans relief

Les vêtements des Smith ne brillent pas non plus par leur originalité. M. Smith a revêtu un habit d'intérieur que l'on peut imaginer à partir du seul détail fourni, les « pantoufles » (Scène 1). Mme Smith doit être habillée de façon semblable. Aucune notation directe ne le signale, mais elle se retire avec son mari, en annonçant à l'arrivée des Martin : « Nous allons vite nous habiller » (Scène 2). La précision apportée plus loin, à la scène 7 (« Mme et M. Smith entrent à droite, sans aucun changement dans leurs vêtements »), montre bien le caractère conventionnel de la distinction qu'ils font entre vêtements d'intérieur et vêtements de cérémonie.

Un mode de vie stéréotypé

Le mode de vie des Smith apparaît, lui aussi, stéréotypé. Pour ne pas enlever aux personnages leur signification symbolique, Ionesco s'est bien gardé de les individualiser. Mme Smith doit être une femme au foyer, mais on ignore le métier de M. Smith. Les occupations des deux époux sont, par contre, évoquées. Les repas occupent, dans leur existence, une importance considérable : Mme Smith consacre une grande partie de la scène 1 à parler de nourriture. Par ailleurs, ils reçoivent volontiers leurs connaissances et se plongent alors dans des conversations insipides qui constituent l'essentiel de la pièce.

Lorsqu'ils ne mangent ni ne reçoivent, ils tuent le temps comme ils peuvent, en des occupations banales, conventionnelles. Tandis que M. Smith lit son journal, Mme Smith « raccommode des chaussettes » (Scène 1).

Des sentiments changeants
et contradictoires

Faisant contraste avec leur vie stéréotypée et monotone, les sentiments qui animent les Smith sont marqués par le changement et la contradiction. Ionesco prend ainsi le contre-pied du théâtre traditionnel dans lequel les personnages sont caractérisés par la permanence. Il souligne également l'aspect conventionnel des relations entre les êtres qui ne correspondent, bien souvent, qu'à des apparences et révèlent la difficulté d'établir une communication vraie et sincère.

Ces contradictions se manifestent d'abord à l'intérieur du couple. Les Smith ne parviennent pas à se comprendre. Chacun est muré dans ses propres préoccupations. Cette incommunicabilité apparaît nettement à deux reprises. À la scène 1, tandis que Mme Smith se lance dans de longues considérations sur la nourriture, M. Smith ne l'écoute pas. De même, aux scènes 7 et 8, éclate entre eux un désaccord à propos de cette grave question : y a-t-il quelqu'un ou n'y a-t-il personne lorsque la sonnette de la porte retentit ?

Malgré les apparentes connivences imposées par les conventions sociales, les oppositions entre Mme et M. Smith sont constantes. Tandis que Mme Smith est « offensée », M. Smith se montre « tout souriant » (Scène 1). Ou encore, lorsque Mme Martin raconte son anecdote insipide, les deux époux se reprochent mutuellement : « Faut pas interrompre, chérie, tu es dégoûtante », « Chéri, c'est toi qui as interrompu le premier, mufle » (Scène 7). Les oppositions entre les termes injurieux et les mots affectueux soulignent les contradictions entre la réalité des sentiments et les faux-semblants sociaux : les convenances ne cessent de refréner l'envie d'exprimer ce qui est ressenti profondément.

C'est souvent à l'intérieur d'un même personnage que se produit un brusque changement de sentiment. Ionesco a introduit de telles modifications pour souligner la relativité qui caractérise l'être humain. Cet aspect apparaît avec une netteté particulière à la fin de la scène 1. Quelques secondes après leur dispute, les Smith se réconcilient, la colère fait, sans transition, place à l'apaisement comme le montrent les didascalies successives : « Elle jette les chaussettes très loin et montre ses dents. Elle se lève » ; « M. Smith se lève à son tour et va vers sa femme tendrement » ; « Il la prend par la taille et l'embrasse ». Mais ce n'est pas le seul exemple de ces très nombreux revirements. Ainsi, Mme Smith, à l'arrivée du pompier, « fâchée, tourne la tête et ne répond pas à son salut », puis, un peu plus tard, « l'embrasse » (Scène 8).

Des comportements marqués, tour à tour, par l'automatisme et l'instinct

Tout comme leurs sentiments, les comportements des Smith sont souvent dépendants des conventions sociales. Les situations dans lesquelles ils se trouvent provoquent des réactions qui relèvent de l'automatisme. Ce caractère figé prend parfois la forme de la manie, du tic. Ce type d'attitude répétitive marque, en particulier, M. Smith qui, à la scène 1, ne cesse de faire « claquer sa langue », pendant que son épouse se répand en considérations sur la nourriture. La politesse, l'amabilité qui caractérisent leurs relations avec les visiteurs (Scènes 7 à 11), sont particulièrement significatives de ces automatismes sociaux.

Mais, sous ce vernis, la vérité se révèle parfois, la nature humaine profonde crevasse la façade lisse et sécurisante. Malgré eux, les Smith sont amenés à manifester l'ennui qui les ronge. M. Smith essaie bien de faire semblant de s'intéresser à la conversation, mais il ne peut s'empêcher de soupirer : « Ah, la la la la », ce que Mme Smith commente crûment, en notant : « Il s'emmerde » (Scène 7). C'est surtout l'agressivité, une agressivité presque animale qui ne cesse de monter. Mme Smith, lors de son altercation avec son mari, « montre ses dents » (Scène 1). M. Smith, lorsqu'il reçoit les Martin, est « furieux » de leur retard (Scène 7). Et ils participent à cette montée de la tension qui est indiquée dans une didascalie de la scène 11 :

> À la fin de cette scène, les quatre personnages devront se trouver debout, tout près les uns des autres, criant leurs répliques, levant les poings, prêts à se jeter les uns sur les autres.

L'automatisme des conventions fait ainsi place à l'instinct animal.

■■■■ LES MARTIN, UN COUPLE À TROIS VISAGES

Ionesco a voulu faire des Martin les images d'une diversité humaine incohérente qui échappe à toute constance et à toute logique. Il offre ainsi aux spectateurs des personnages à trois visages. Les Martin sont d'abord des êtres dépourvus d'individualité, englués dans les conventions sociales ; leurs comportements se révèlent alors semblables à ceux des Smith avec lesquels ils se confondent. Ils apparaissent aussi comme des êtres à la recherche d'un bonheur stéréotypé. Ils sont enfin révélateurs du rôle du hasard dans l'existence humaine.

Des personnages dépourvus d'individualité

Dans les scènes 7 à 11, consacrées aux conversations conventionnelles, les Martin agissent et réagissent de la même manière que les Smith. Ils sont enfermés dans les attitudes obligées de la politesse et de l'amabilité, essayant de dissimuler l'ennui qu'ils éprouvent, se répandant en propos incohérents et sans intérêt. De même, ils ne peuvent empêcher de laisser se déchaîner leur agressivité à la fin de la pièce.

Ce caractère interchangeable des deux couples est souligné par les réactions communes qui les animent ; une didascalie indique, par exemple, à la scène 11 : « Tous ensemble, au comble de la fureur, hurlent les uns aux oreilles des autres » et c'est en chœur qu'ils ne cessent de répéter : « C'est pas par là, c'est par ici ! ». L'indication scénique finale confirme cette similitude entre les Smith et les Martin : « La pièce recommence avec les Martin, qui disent exactement les répliques des Smith dans la première scène (...) » (Scène 11).

Cette confusion qui existe entre des êtres dépourvus d'individualité, tous fondus en un ensemble flou, condamnés à la même existence ennuyeuse et absurde, est mise en évidence, d'une autre façon, à la scène 1. Parlant d'une famille de sa connaissance, les Watson, Mme Smith explique que chacun des membres de cette famille porte le même prénom :

> Et la tante de Bobby Watson, la vieille Bobby Watson pourrait très bien, à son tour, se charger de l'éducation de Bobby Watson, la fille de Bobby Watson. Comme ça, la maman de Bobby Watson, Bobby, pourrait se remarier.

M. Smith renforce encore cette indétermination des êtres que révélaient ces considérations généalogiques, obscurcies par la similitude des prénoms, en renchérissant : « Tous les Bobby Watson sont commis-voyageurs. » Ionesco crée ainsi un effet parodique, en se moquant de ces conversations interminables qui roulent sur les rapports familiaux.

Des êtres à la recherche d'un bonheur conventionnel

Les Martin offrent une autre image, celle du bonheur conventionnel. Déjà esquissée chez les Smith, elle est ici beaucoup plus nette. Au cours des conversations, M. Martin se montre très attentionné à l'égard de son épouse ; il s'efforce de s'intéresser à ce qu'elle fait, s'enquérant, à la scène 7 : « Dis, chérie, qu'est-ce que tu as vu aujourd'hui ? »

Tout au long de la scène 4, de nombreux détails permettent de brosser un portrait touchant de ce couple uni. Originaires de Manchester, ils sont venus faire un séjour à Londres et ils en profitent pour rendre visite à leurs amis, les Smith. Prénommés Élisabeth et Donald, prénoms fort communs en Angleterre, ils ont une charmante petite fille de deux ans, Alice. Leur vie semble sans histoire. Ils ne se posent pas de questions, rassurés par un amour paisible. Mais ce ne sont là que les apparences d'un bonheur miné de l'intérieur. Ils sont souvent agressifs l'un envers l'autre et lorsqu'« ils s'embrassent », c'est « sans expression ».

Un couple soumis aux caprices du hasard

Les Martin ont une dernière fonction : ils sont des révélateurs des infinis caprices du hasard. Tout au long de la scène 4, ils procèdent à une longue énumération de coïncidences bizarres et ils en concluent... qu'ils se connaissent et qu'ils sont mariés. Ils s'aperçoivent, au fil de la conversation, qu'ils habitent la même ville, qu'ils ont pris le même train et, à l'issue de ces constats, ponctués d'exclamations surprises « Comme c'est curieux et quelle coïncidence !... », ils réalisent qu'ils partagent, à Londres, le même lit et qu'ils sont les parents de la même petite fille.

Ces coïncidences ont de multiples significations. Elles constituent d'abord une parodie des retrouvailles romanesques. Plus profondément, elles traduisent l'incohérence du monde et la subordination de l'homme au hasard : le rôle du hasard est déjà important lorsqu'il permet les rencontres et la naissance de l'amour. Il est sans limites lorsqu'il détermine la prise de conscience de relations déjà existantes. Enfin, cet événement surprenant montre indirectement que, si les Martin ont, en effet, besoin de se retrouver, c'est parce qu'ils se sont perdus, c'est parce qu'ils ne parvenaient plus à se comprendre réellement.

À la scène 5, les fantaisies du hasard atteignent leur comble. Tout peut, à tout moment, s'inverser. Les coïncidences sont relatives, de telle manière que, si une seule fait défaut, toute la construction s'écroule : tandis que la fille de Donald a l'œil droit blanc et le gauche rouge, les couleurs sont inversées pour la fille d'Élisabeth. On revient au point de départ : les Martin perdent d'abord conscience de leur couple, la retrouvent ensuite mais à tort, puisqu'en définitive ils ne constituent pas ce couple qu'ils imaginent.

▄▄▄▄▄ MARY, PORTE-PAROLE PROSAÏQUE DU DESTIN

Mary, la bonne, a, dans *La Cantatrice chauve*, une double fonction. C'est d'abord une figure prosaïque, partagée entre son emploi de domestique et son désir d'affirmer sa personnalité. Elle joue également le rôle de témoin de ce qui se passe autour d'elle, se trouvant chargée de transcrire les manifestations du destin.

Une bonne au franc-parler dérangeant

Mary, comme dans le théâtre traditionnel dont se moque ainsi Ionesco, remplit d'abord scrupuleusement ses fonctions de domestique. Elle reçoit les instructions des Smith, fait entrer les Martin, les invite à s'asseoir. Selon la tradition, elle se montre déférente, déclare, lorsqu'elle entre à la scène 9 : « Que Madame et Monsieur m'excusent... et ces Dames et Messieurs aussi... »

Mais elle fait aussi preuve d'un franc-parler qui provoque un effet de rupture. Lorsque Mme Smith lui reproche de s'être absentée, elle lui répond sèchement : « C'est vous qui m'avez donné la permission » (Scène 1) et, surtout, lorsqu'arrivent les Martin, elle les admoneste en ces termes : « Pourquoi êtes-vous venus si tard ! Vous n'êtes pas polis. Il faut venir à l'heure. Compris ? » (Scène 3).

En affichant un souci d'exprimer ses idées, d'affirmer sa personnalité, Mary rompt avec l'image du domestique soumis et zélé. Elle se montre alors aussi contradictoire que ses maîtres. Après avoir éclaté de rire, elle pleure, puis elle sourit. Elle raconte les faits d'une grande banalité qui lui sont arrivés au cours de l'après-midi, puis éprouve le besoin d'annoncer : « Je me suis acheté un pot de chambre » (Scène 1). À la scène 9, malgré les réprimandes, elle entend participer à la conversation et dit un poème, *Le Feu*, qui rivalise d'incohérence avec les anecdotes racontées par les Smith, les Martin et le pompier. Bref, elle participe à tout ce jeu d'incompréhension et d'incohérence qui régit les rapports de l'ensemble des personnages de la pièce.

Une interprète ambiguë du destin

Mary joue, dans la pièce, un autre rôle qui fait un brutal contraste avec ses fonctions de domestique. C'est elle, en effet, qui révèle la méprise dont les Martin sont victimes lorsqu'ils pensent découvrir qu'ils sont mariés. C'est elle qui montre comment le hasard se joue des êtres humains.

Elle se fait ainsi le porte-parole inquisiteur du destin. Elle est chargée de dévoiler une vérité qui, comme dans la tragédie, mais aussi, plus prosaïquement, dans le roman policier, est porteuse de souffrance et de mort. Mary joue, à la fois, le rôle du chœur[1] de la tragédie antique et celui du détective : « Mon vrai nom est Sherlock Holmès », dit-elle avant de quitter la scène. Mais auparavant, elle avait montré toute l'ambiguïté de son rôle, en décidant : « Laissons les choses comme elles sont », réalisant ainsi que la vérité n'est pas toujours bonne à dire, qu'il vaut mieux ne pas connaître les décrets du destin.

---

1. Dans la tragédie antique, le chœur, constitué par un groupe de personnes chantant et dansant, était chargé de commenter l'action dramatique, en en révélant la vérité profonde.

■■■■■ LE POMPIER, RÉVÉLATEUR DE L'ABSURDITÉ DE L'ACTIVITÉ HUMAINE

Tout en contribuant, comme les autres personnages, à montrer la difficulté de la communication entre les êtres, le pompier a un rôle spécifique : il souligne l'absurdité des fonctions sociales et révèle la complexité d'un monde rendu insaisissable par son infinie relativité.

Un homme obsédé par son métier

Ce qui définit le capitaine des pompiers, c'est, avant tout, son métier. Dès son apparition, une didascalie donne le ton : « Il a, bien entendu, un énorme casque qui brille et un uniforme » (Scène 8). Ce personnage ne vit que pour son activité professionnelle. Sans elle, il n'est plus rien. Il est obsédé par le feu qui rythme son existence. Il ne cesse de demander s'il y a des incendies à éteindre. Il utilise, comme d'ailleurs les autres personnages dont il influence le vocabulaire, des jeux de mots, des comparaisons ou des métaphores qui renvoient au feu ; il note ainsi, à propos de Mary : « C'est elle qui a éteint mes premiers feux » (Scène 9), tandis que Mme Martin, devant son refus de raconter une anecdote, lui reproche : « Vous avez un cœur de glace. Nous sommes sur des charbons ardents » (Scène 8). Et lorsqu'il prend congé, c'est pour éteindre un incendie qui doit se déclarer « dans trois quarts d'heure et seize minutes exactement » (Scène 10).

Le pompier montre ainsi que l'être humain, pour tenter d'oublier l'absurdité et l'inutilité de la vie, a besoin de s'investir dans une activité professionnelle intense. Mais ici, cette activité professionnelle tourne à l'obsession et s'enferme dans le respect de règles incohérentes, ce qui la rend, elle aussi, absurde.

Un témoin de la complexité absurde du monde

Le pompier est également là pour témoigner de la complexité des choses. Autant la généalogie des Watson, brossée par les Smith à la scène 1, révélait l'uniformité du monde, autant celle que développe le pompier à la scène 8 en montre la variété. Les personnages évoqués exercent les métiers les plus divers, de pharmacienne à quartier-maître, en passant par ingénieur, vigneron ou adjudant ; ils sont de nationalités variées, française, britannique ou portugaise ; ils ont une vie agitée comme ce « médecin de campagne, marié trois fois de suite ». Mais cette diversité se révèle hétéroclite, incohérente.

Cette complexité du monde est porteuse d'une relativité qui rend les choses insaisissables, inexplicables. C'est le pompier qui est au centre de l'épisode de la sonnette. C'est lui qui apaise le désaccord entre les Smith, en montrant qu'il n'existe pas de vérité absolue, que chacun possède la sienne :

> Je vais vous mettre d'accord. Vous avez un peu raison tous les deux. Lorsqu'on sonne à la porte, des fois il y a quel-qu'un, d'autres fois il n'y a personne
>
> (Scène 8)

Personne n'a jamais totalement tort et donc tout le monde a plus ou moins raison.

■■■■ LA CANTATRICE CHAUVE : UN PERSONNAGE — ET UN TITRE — ÉNIGMATIQUES

Qu'en est-il de l'énigmatique cantatrice chauve qui a donné son nom à la pièce ? Désespérément absente, elle constitue, en fait, une manifestation supplémentaire de l'incohérence.

Un personnage absent

En ne faisant jamais paraître la cantatrice chauve, Ionesco parodie une technique destinée à créer le mystère autour d'un personnage absent qui joue pourtant un rôle important dans l'action, dont *L'Arlésienne*[1] d'Alphonse Daudet est

---

1. *L'Arlésienne* raconte le désespoir et le suicide de Jan lorsqu'il apprend l'inconduite de la femme qu'il aime, personnage jamais présent, seule-

l'exemple le plus connu. Mais la cantatrice chauve ne joue aucun rôle. Et le « Silence général », la « gêne » (Scène 10) qui suivent la seule allusion au personnage (« À propos, et la cantatrice chauve ? ») montrent ironiquement l'embarras qui pourrait être celui d'un dramaturge incapable de justifier la raison d'être de son personnage.

Une manifestation de l'incohérence ambiante

La cantatrice chauve a également pour fonction de contribuer à l'incohérence ambiante. L'adjectif « chauve » apparaît d'abord incompatible avec l'image que l'on se fait d'une cantatrice, ce qui crée une impression d'étrangeté. La réponse que Mme Smith fait à la question du pompier (« Elle se coiffe toujours de la même façon », Scène 10) accentue encore le caractère absurde du personnage, tandis que son inutilité va tout à fait dans le sens du vide et de l'incohérence des conversations.

---

ment évoqué. Georges Bizet (1838-1875) tirera un opéra de ce récit qui fait partie des *Lettres de mon moulin* (1869).

7 L'usure du langage au centre de La Cantatrice chauve

La Cantatrice chauve semble reprendre la tradition du théâtre-texte : la pièce donne une importance essentielle au dialogue au détriment du spectacle, elle repose sur le langage. Mais Ionesco pervertit ce fonctionnement traditionnel. Le langage théâtral est, généralement, un moyen efficace de communication, il permet aux personnages de révéler leurs pensées, leurs sentiment, leurs intentions : il souligne, au contraire, dans *La Cantatrice chauve*, la difficulté de communiquer qu'éprouvent les êtres. Le langage est usé, vidé de son sens. Il ne véhicule plus que des lambeaux de signification. Il constitue ainsi une manifestation éloquente de l'incohérence et de l'inutilité de l'homme qui ne parvient pas à trouver sa place dans un univers absurde.

Ionesco a procédé, de multiples façons, à une véritable désintégration de l'expression. Déjà visible dans l'organisation du dialogue, elle se manifeste dans la banalité des propos, dans l'incohérence des formulations et des rapprochements, pour atteindre son paroxysme avec la réduction du langage en sons vides de sens.

■■■■ UN DIALOGUE IMPOSSIBLE

Le caractère des répliques est, en lui-même, révélateur des difficultés de communication qu'éprouvent les personnages. Le dialogue s'avère difficile, sinon impossible ; chacun se trouve enfermé à l'intérieur de sa conception des choses, a sa propre idée des notions et des mots qu'il utilise et qu'utilisent les autres.

De brèves répliques

À l'intérieur de *La Cantatrice chauve*, les répliques sont généralement brèves. Elles sont, dans la majorité des cas, composées de propositions indépendantes, voire de phrases nominales, c'est-à-dire sans verbe :

> Mme Smith. — Il ne veut pas en démordre.
> Mme Martin. — Mon mari aussi est très têtu.
> M. Smith: — Il y a quelqu'un.
> M. Martin. — Ce n'est pas impossible.
> Mme Smith, à son mari. — Non.
> M. Smith. — Si.   (Scène 8)

Dans le théâtre traditionnel, ce type d'intervention a pour fonction de révéler une grande tension dramatique : les personnages, emportés par leur émotion, ne peuvent développer leur pensée et ne cessent de s'interrompre, s'empêchant ainsi, tour à tour, de parler longuement. Dans *La Cantàtrice chauve*, ce mode d'expression a d'autres causes. Les personnages s'expriment brièvement, parce qu'ils ne parviennent pas à élaborer des idées un tant soit peu suivies, parce qu'ils n'ont rien à dire ou seulement des banalités.

De longs silences

Ce vide de la pensée et du langage se trouve encore accentué par les nombreux silences qui viennent régulièrement suspendre le dialogue. Contraints par les conventions sociales à entretenir la conversation, les personnages cherchent désespérément ce qu'ils pourraient bien dire : ils s'efforcent de meubler, tant bien que mal, ces silences pesants qui morcellent des échanges faits d'onomatopées ou de banalités :

> M. Smith. — Hm.
>> *Silence.*
> Mme Smith. — Hm, hm.
>> *Silence.*
> Mme Martin. — Hm, Hm, Hm.
>> *Silence.*
> M. Martin. — Hm, hm, hm, hm.
>> *Silence.*
> Mme Martin. — Oh, décidément.
>> *Silence.*
> M. Martin. — Nous sommes tous enrhumés.
>> *Silence.*

M. SMITH. — Pourtant il ne fait pas froid.
Silence.
MME SMITH. — Il n'y a pas de courant d'air.
Silence.
M. MARTIN. — Oh non, heureusement.
Silence. (Scène 7)

Et Mme Smith constate, à propos de son mari, le vide d'une pensée qui se révèle à travers ce vide du langage, en notant crûment : « Il s'emmerde » (Scène 7).

Des paroles sans suite

Cette fragmentation du dialogue est encore renforcée par l'absence de suite dans les idées qui caractérise la façon de s'exprimer des différents personnages. Leurs propos répondent fréquemment au principe du coq-à-l'âne qui consiste à passer, sans transition aucune, d'un sujet à l'autre. Ce procédé est particulièrement évident à la scène 11 où s'enchaînent des phrases qu'aucun lien ne vient unir. Ainsi, Mme Smith affirme successivement : « Mon oncle vit à la campagne mais ça ne regarde pas la sage-femme » ; « L'automobile va très vite, mais la cuisinière prépare mieux les plats » ; « J'attends que l'aqueduc vienne me voir à mon moulin. »

Cette succession de propos sans suite s'inspire de la méthode Assimil, manuel destiné à l'apprentissage des langues, très utilisé dans les années 50 et que Ionesco parodie. Les personnages ne parviennent pas à mettre de l'ordre dans leurs idées, à s'entendre, en quelque sorte, parler. Bien plus, ils ne savent pas écouter l'autre, ignorent cet art de la conversation qui consiste à saisir au bond, à prolonger la pensée de l'interlocuteur. Ainsi, toujours à la scène 11, M. Martin fait succéder aux propos de Mme Smith d'autres propos tout aussi informes, sans aucun rapport avec ceux qui les précèdent. Aux répliques de Mme Smith citées plus haut, il répond, ou plutôt ne répond pas, par ces autres répliques : « Le papier, c'est pour écrire, le chat c'est pour le rat. Le fromage c'est pour griffer » ; « Charity begins at home. »

M. Smith participe lui aussi à ce dialogue de sourds, et apporte sa contribution à cette incohérence généralisée, en conseillant : « Ne soyez pas dindons, embrassez plutôt le conspirateur. »

Le recours aux longues tirades

Les longues répliques, ce qu'on appelle les *tirades*, contribuent, d'une autre façon, à traduire l'usure du langage. Il se constitue des blocs compacts de très copieux développements dont le caractère massif est encore accentué par leur isolement au milieu de très brèves répliques.

Plus encore que dans les échanges de propos, les personnages apparaissent enfermés en eux-mêmes, totalement accaparés par ce qu'ils disent, indifférents à ceux qui les entourent, dans une attitude de refus du dialogue. Alors, l'incohérence, voire la contradiction qui marque leurs interventions, bat son plein. Leurs paroles ne parviennent pas réellement à être porteuses d'idées suivies. Ils se saoulent de mots, les utilisent pour eux-mêmes, sans se soucier de leur signification. Ils sont atteints d'une sorte de psittacisme, dérèglement psychique qui consiste, comme les perroquets, à répéter des termes sans en saisir la signification.

Cette façon de procéder apparaît, à de multiples reprises, à l'intérieur de *La Cantatrice chauve*. C'est, à la scène 1, le long discours que tient Mme Smith sur la nourriture. Ou bien, ce sont, à la scène 8, les interminables considérations généalogiques auxquelles se livre le pompier.

■■■■ LA BANALITÉ DES PROPOS

Le vide des échanges entre les personnages est également révélé par la platitude des propos. Incapable d'originalité, de pensée personnelle, chacun s'enferme à l'intérieur de remarques stéréotypées soumises aux conventions sociales, aux lieux communs, voire à l'évidence.

Le caractère mécanique du langage

Les conventions sociales imprègnent constamment les paroles des personnages. Un consensus semble ainsi se manifester entre eux. Mais il n'est, en fait, qu'apparence, parce qu'il répond à une sorte de réflexe, parce qu'il ne résulte pas d'une adhésion profonde.

Ce caractère mécanique et conventionnel du langage apparaît nettement à la scène 9. Lorsque Mary exprime le souhait de raconter, elle aussi, une anecdote, le pompier et les Smith se répandent en remarques indignées, pour une fois concordantes : il n'est pas admissible qu'une domestique prenne part à la conversation en présence d'invités. Ce que les conventions sociales considèrent comme une marque de sans-gêne provoque des commentaires scandalisés qui se déclenchent comme une rafale d'armes automatiques :

> LE POMPIER. — Pour qui se prend-elle ? (Il la regarde.) Oh !
> MME SMITH. — De quoi vous mêlez-vous ?
> M. SMITH. — Vous êtes vraiment déplacée, Mary...

La prolifération des banalités

Les conventions sociales expliquent la véritable floraison de phrases stéréotypées. Au début de la scène 7, ces banalités prennent la forme de réflexions sur le temps, moyens commodes et usés de meubler le vide de la conversation. Elles se manifestent également dans l'expression de réactions imposées par la politesse. Ainsi, ces commentaires étonnés ou interrogatifs suivent la fin, pourtant sans intérêt, de l'histoire vécue que raconte Mme Martin :

> M. MARTIN, M. SMITH, MME SMITH. — Oh (...)
> M. SMITH. — Pas possible (...)
> M. SMITH. — Eh bien ? (...)
> LES TROIS AUTRES. — Fantastique ! (...)
> MME SMITH. — Quel original ! (...)   (Scène 7)

La platitude du discours apparaît également dans des formules toutes faites, parfois proches du proverbe, affirmées de façon péremptoire, sans réplique :

> M. SMITH. — La vérité est entre les deux.   (Scène 7)
> MME SMITH. — Cela est vrai en théorie. Mais dans la réalité les choses se passent autrement.   (Scène 7)
> MME SMITH (à M. Smith). — Je te prie de ne pas mêler les étrangers à nos querelles familiales.   (Scène 8)
> MME MARTIN. — Tout ce qui est humain est honorable.
> (Scène 9)
> MME MARTIN. — À chacun son destin.   (Scène 11)

Ionesco, en procédant ainsi, s'ingénie à démystifier les enseignements des proverbes, expression de ce qu'on appelle la sagesse populaire.

Le triomphe des évidences

La banalité devient souvent évidence. *La Cantatrice chauve* offre de nombreux exemples de lapalissades, d'affirmations tellement évidentes qu'il est inutile de les exprimer. Ces formulations soulignent, l'incapacité des personnages de faire de leur langage l'instrument d'une pensée riche et élaborée :

> M. MARTIN. — Le plafond est en haut, le plancher est en bas. (...)
> M. SMITH. — Quand je suis à la campagne, j'aime la solitude et le calme. (...)
> MME SMITH. — Oui, mais avec de l'argent on peut acheter tout ce qu'on veut. (Scène 11)

■■■■ L'INCOHÉRENCE DES FORMULATIONS

L'incohérence des formulations contribue à la destruction du langage qui se révèle incapable de véhiculer des idées cohérentes, impuissant à établir une progression logique des différentes données exprimées.

L'absence de liaison entre les idées

Dans *La Cantatrice chauve*, l'expression apparaît désarticulée. À l'intérieur des répliques, l'absence de formules de transition, ces termes qui servent à lier les idées, ces points d'attache entre les phrases ou les propositions, contribue à l'éclatement des propos. Même lorsqu'elle développe une idée apparemment cohérente, l'expression n'est plus alors qu'une juxtaposition d'éléments confuse, discontinue, comme dans ces commentaires hachés de Mme Smith :

> Tiens, il est neuf heures. Nous avons mangé de la soupe, du poisson, des pommes de terre au lard, de la salade anglaise. Les enfants ont bu de l'eau anglaise. Nous avons bien mangé, ce soir. (Scène 1)

L'effet d'éparpillement des énumérations

Ces propos sans lien revêtent déjà la forme de l'énumération. Parfois, ces effets d'accumulation deviennent systématiques. L'incohérence naît alors d'une addition de termes qui pourrait se poursuivre indéfiniment et qui marque l'éparpillement, l'absence d'unité de la pensée. L'incohérence est encore plus grande, lorsque les éléments de l'énumération se trouvent réunis par un facteur artificiellement commun, comme dans le poème *Le Feu* dit par Mary :

> Les polycandres brillaient dans les bois
> Une pierre prit feu
> Le château prit feu
> La forêt prit feu
> Les hommes prirent feu
> (...)
> Le feu prit feu
> Tout prit feu
> Prit feu prit feu.

(Scène 10)

La fin du poème rend cette liste encore plus disparate, plus hétéroclite : le feu, censé assurer la cohésion de l'ensemble, se trouve, lui aussi, absurdement soumis à sa propre action faussement unificatrice ; il prend feu, à son tour.

Les oppositions fantaisistes

De façon encore plus irrationnelle, les personnages se livrent souvent à des jeux d'oppositions, à la merci, à première vue, du hasard le plus gratuit. Seules des associations d'idées ou de mots peuvent, à la rigueur, justifier ces formules incohérentes de la scène 11 :

> Mme Martin. — Je peux acheter un couteau de poche pour mon frère, mais vous ne pouvez acheter l'Irlande pour votre grand-père.

Si la reprise du verbe « acheter » et le fait que cet achat s'effectue au bénéfice de parents constituent des liens entre les deux membres de phrase, il est tout à fait incohérent d'opposer « un couteau de poche » et « l'Irlande ».

> M. Smith. — Le maître d'école apprend à lire aux enfants, mais le chat allaite ses petits quand ils sont petits.

Si un vague lien unit le maître d'école et le chat, l'un et l'autre s'occupant de petits êtres, à quoi rime de mettre ainsi en parallèle leur activité ?

Les rapprochements inattendus

La Cantatrice chauve contient des rapprochements tout à fait inattendus. Ils résultent parfois de la dénaturation de proverbes. Les personnages s'appuient sur ces expressions de la sagesse populaire, mais ils les rendent absurdes, en en modifiant certains termes. Lorsque M. Martin s'écrie successivement : « Celui qui vend aujourd'hui un bœuf, demain aura un œuf », puis : « J'aime mieux pondre un œuf que voler un bœuf » (Scène 11), il transforme, de façon incohérente, le proverbe « Qui vole un œuf, vole un bœuf ».

La mise en rapport de données différentes apparaît, d'autres fois, totalement aléatoire, comme résultant d'associations d'idées fortuites. C'est ce qui se manifeste, en particulier, dans toute une série de formules hétéroclites dont certaines sonorités se font écho de manière cocasse :

> M. Martin. — J'aime mieux un oiseau dans un champ qu'une chaussette dans une brouette. (...)
> M. Smith. — Plutôt un filet dans un chalet, que du lait dans un palais.

Les non-sens

L'incohérence atteint son comble, lorsque les personnages tiennent des propos tellement décousus qu'ils sont dépourvus de toute signification. Ces non-sens sont en grand nombre à la scène 11 et mettent au défi toute tentative d'interprétation : « Mme Martin. — On peut s'asseoir sur la chaise, lorsque la chaise n'en a pas. » À quoi « en » renvoie-t-il ? À « chaise » ? « On peut s'asseoir sur la chaise, lorsque la chaise n'a pas de chaise » ne signifie rien. « M. Martin. — Le pain est un arbre tandis que le pain est aussi un arbre, et du chêne naît un chêne, tous les matins à l'aube. » La confusion entre « pain » et « pin » rend la première partie de la phrase incompréhensible. Quant à la seconde partie, elle découle d'une association d'idées entre le pin et le chêne.

Dans les deux cas, Ionesco, toujours dans cet esprit de parodie des manuels de conversations, s'inspire visiblement des fautes de français propres aux étrangers. C'est à cause du mauvais usage du pronom « en » et de l'orthographe défectueuse de « pin » que les deux phrases n'ont aucun sens. Il fournit ainsi des exemples éloquents de cette impossibilité de communiquer. Un peu à la manière des surréalistes qui étaient passés maîtres dans l'art des alliances de mots inattendues et poétiques, il crée, par ailleurs, une atmosphère étrange, porteuse de rêve, révélatrice de l'inconscient.

■■■■■ UN LANGAGE RÉDUIT À DES SONS

À force de se vider de tout contenu, le langage se réduit à un ensemble de sons qui fonctionnent pour eux-mêmes, qui ne véhiculent plus que des sentiments élémentaires, comme l'excitation ou l'agressivité.

Le pouvoir des sonorités

Le pouvoir des sonorités se substitue au pouvoir des idées. Les personnages ne s'attachent plus qu'aux rapprochements des sons. Ils procèdent à des juxtapositions de mots que seuls viennent unir des semblants de rimes :

> MME MARTIN. — Touche pas ma babouche !
> M. MARTIN. — Bouge pas la babouche !
> M. SMITH. — Touche la mouche, mouche pas la touche.
> MME MARTIN. — La mouche bouge.
> MME SMITH. — Mouche ta bouche. (Scène 11)

L'emprise des onomatopées

À la fin de la pièce, la destruction du langage est irrémédiablement réalisée. Les liens que constituait la rime disparaissent. Les sons purs l'emportent, se réduisant à des onomatopées à l'emprise desquelles les personnages se livrent totalement, reconnaissant ainsi définitivement leur impuissance à communiquer. M. Smith et Mme Martin récitent l'alphabet, Mme Smith imite le train à grands coups de « Teuff, teuff, teuff », et tous ensemble finissent pas scander « au comble de la fureur » une phrase composée de monosyllabes réduits à de simples sons : « C'est pas par là, c'est par ici » (Scène 11).

8 Le comique de l'absurde dans La Cantatrice chauve

La Cantatrice chauve suscite incontestablement le rire. Mais le comique qu'elle véhicule est particulier, différent du comique traditionnel. Il est directement en liaison avec l'absurdité qui marque, à la fois, le langage et le comportement des personnages. C'est dans cette perspective que se développent, tout au long de la pièce, trois types de comique : le comique de la parodie, le comique d'opposition et le comique du non-sens.

■■■■ LA PARODIE

Dans La Cantatrice chauve, Ionesco, comme il a été dit (voir p. 16 à 31), se livre à une parodie du théâtre traditionnel. Les excès et le décalage que suppose cette démarche parodique sont porteurs d'effets comiques.

Ionesco donne volontairement dans la caricature. Pour tourner en ridicule les procédés théâtraux conventionnels, il force la note. Chez les Smith ou les Martin, tous les stéréotypes des personnages du théâtre de boulevard sont portés à leur paroxysme : dans la première mise en scène de la pièce, ils avaient d'ailleurs les costumes d'Occupe-toi d'Amélie, un grand succès de l'auteur boulevardier Georges Feydeau (1862-1921). L'insignifiance de leurs propos dépasse la banalité des conversations propres aux personnages du théâtre de boulevard. Le public, habitué à de tels spectacles, rit lorsqu'il comprend les intentions satiriques de Ionesco.

Ce type de comique est encore renforcé par les effets de décalage qu'introduit Ionesco. Le fonctionnement du théâtre de boulevard est détourné de sa raison d'être. Le réalisme des comportements fait place à une accumulation de détails disparates, souvent contradictoires qui fait perdre aux comportements toute crédibilité. Les personnages ne sont pas vraisemblables. Ainsi, le trop-plein d'indications dans l'évocation du repas à laquelle se livre Mme Smith (Scène 1) ôte toute réalité à cette description. De même, l'accumulation des indications scéniques, loin de contribuer à la précision des détails, introduit le flou, le relatif.

Ce décalage apparaît au début de la pièce, dans la contradiction entre le décor anglais prévu par la didascalie et l'ameublement banal qui figurait sur scène lors de la création de la pièce. Cette dénaturation volontaire du théâtre de boulevard est source de comique.

■■■ LE COMIQUE D'OPPOSITION

Les jeux d'oppositions suscitent également le rire, en mettant en évidence les contradictions qui concernent le langage ou les comportements.

De nombreuses contradictions comiques intéressent le langage. Un premier jeu d'oppositions apparaît entre ce qui est dit et le ton adopté pour le dire. L'exemple le plus significatif concerne la scène 4. Alors que Mme et M. Martin expriment, à grand renfort d'interrogations et d'exclamations, leur étonnement face à toute une série de coïncidences, une indication scénique précise : « Le dialogue qui suit doit être dit d'une voix traînante, monotone, un peu chantante, nullement nuancée. »

Un autre type de contradictions oppose paroles et actions. Un personnage fait le contraire de ce qu'il dit ou dit le contraire de ce qu'il fait. Ainsi, à la scène 8, tandis que le pompier déclare : « Je veux bien enlever mon casque, mais je n'ai pas le temps de m'asseoir », une indication scénique signale : « Il s'assoit, sans enlever son casque. » Le spectateur s'étonne et rit de cette opposition absurde.

Ce sont parfois aussi les paroles elles-mêmes qui se contredisent. Lorsque à la scène 1 défilent les affirmations les plus contradictoires concernant la date de la mort de Bobby Watson, c'est encore l'absurdité de ces contradictions qui provoque le rire.

Déjà, le langage était révélateur des contradictions des comportements. La plupart du temps, les personnages se comportent de façon contradictoire. Comme Mary qui, à la scène 2, passe sans transition du rire aux pleurs, puis au sourire, les personnages changent tout d'un bloc. Un peu à la manière des clowns, ils basculent brusquement d'une attitude à une autre attitude complètement opposée.

■■■■■ LE COMIQUE
DU NON-SENS

De l'absurde, les personnages passent tout naturellement au non-sens. C'est là une nouvelle source de comique : on rit de ce qui n'a pas de sens.

L'expression, dans *La Cantatrice chauve*, est, nous l'avons vu p. 49 à 52, très souvent marquée par le non-sens. Le spectateur rit du délire verbal dans lequel tombent les personnages, des histoires stupides qu'ils racontent à tour de rôle, de la destruction finale d'un langage qui tourne à vide, qui est devenu totalement incompréhensible.

De même, les égarements de la pendule sont comiques, parce qu'ils constituent, en quelque sorte, un non-sens temporel. Les coups qu'elle sonne ne correspondent à aucune réalité, ne répondent à aucune logique. La pendule se trouve vidée de sa signification, incapable de jouer correctement son rôle, de rendre compte rationnellement de l'écoulement du temps.

9 Résumé
de La Leçon

■■■■■■ UN DÉBUT
DE LEÇON PAISIBLE

L'entrée en matière (p. 87 à 97)[1]

Un coup de sonnette retentit. La bonne vient ouvrir à la jeune élève qui entre. Le professeur, prévenu, la rejoint bientôt et l'accueille. Ils échangent quelques banalités. Le professeur, timide et déférent, encourage la jeune fille. Pendant qu'elle s'installe, il profite de la conversation à bâtons rompus qui se déroule pour vérifier ses connaissances sur des données élémentaires concernant la géographie de la France ou les saisons.

La leçon d'arithmétique (p. 97 à 116)

Le professeur propose de commencer par une leçon d'arithmétique, matière qui fait partie du « doctorat total » que la jeune élève veut préparer. La leçon porte sur des notions d'une grande facilité comme l'addition et la soustraction. De façon quelque peu inquiétante, le maître essaie de concrétiser ses explications en partant du nez, des oreilles et des doigts de l'élève. Celle-ci n'arrive pas à saisir des données, pourtant fort simples, mais, par contre, à la grande surprise du professeur, parvient à trouver immédiatement le résultat d'une multiplication complexe qui atteint le chiffre astronomique de « dix-neuf quintillions trois cent quatre-vingt-dix quadrillions deux trillions huit cent quarante-quatre milliards deux cent dix-neuf millions cent soixante-quatre mille cinq cent huit... ».

Le spectateur commence à comprendre qu'il assiste à une leçon d'un caractère spécial, tandis que le professeur, auquel

---

1. Les pages renvoient à l'édition Gallimard, coll. « Folio », 1970.

la bonne adresse de mystérieux avertissements, perd progressivement son calme et gagne peu à peu en assurance.

■■■■■■ « LA PHILOLOGIE MÈNE AU PIRE ! »

Un cours magistral de linguistique
(p. 116 à 127)

Malgré les conseils pressants de la bonne, qui lui rappelle que « la philologie mène au pire... », le professeur décide de passer à l'étude des langues. Il assène à son élève, de plus en plus passive, un véritable cours magistral. En de longues tirades compactes, que viennent rompre régulièrement les « J'ai mal aux dents » de la jeune fille, il expose une théorie fumeuse sur « les langues néo-espagnoles », parodie de la linguistique et de la philologie modernes. Au fil de ses explications, il fait preuve d'une détermination et d'une fermeté grandissantes.

La montée de la tension (p. 127 à 135)

En bon pédagogue, le professeur essaie maintenant d'être plus concret. Il multiplie les exemples. Il tente de faire pratiquer à son élève les exercices d'application destinés à bien distinguer les différentes langues néo-espagnoles qui se trouvent, de façon absurde, totalement semblables. L'élève, obnubilée par son mal de dents, se montre de plus en plus distraite et soumise, tandis que l'énervement et l'agressivité envahissent le professeur.

■■■■■ DES MENACES AU MEURTRE

L'attitude menaçante du professeur (p. 135 à 143)

Le professeur ne se contrôle plus. Frénétique, il admoneste son élève, pour passer aux injures et aux menaces :

« Silence ! Ou je vous fracasse le crâne ! », s'écrie-t-il. Puis, il demande à la bonne d'aller lui chercher des couteaux pour illustrer son cours de vocabulaire. Devant son refus, il finit par en trouver un dans le tiroir de son bureau et le brandit devant l'élève.

L'assassinat (p. 143 à 144)

Au comble de l'exaspération, le professeur poignarde son élève, puis s'affale sur une chaise dans un soubresaut. Pris de panique, il réalise la portée de son acte et appelle la bonne Marie.

Des meurtres sans cesse recommencés (p. 144 à 150)

Devant la bonne, le professeur apparaît totalement désemparé. Il est redevenu timide et soumis. D'abord sévère, Marie rappelle que « c'est la quarantième fois aujourd'hui !... » et que « tous les jours c'est la même chose ! » Puis elle se montre compréhensive et aide le professeur à emporter ce quarantième cadavre, tandis qu'une nouvelle victime se présente, continuant le cycle de ces meurtres sans cesse recommencés.

10 L'action de La Leçon : une évolution contestée

La Leçon obéit à deux mouvements complémentaires. D'une part, de façon traditionnelle, l'action est animée d'une progression : la modification des comportements du professeur et de son élève conduit, semble-t-il, inéluctablement au dénouement sanglant. D'autre part, des ruptures, souvent brutales, viennent perturber ce schéma dont le caractère progressif se trouve également contesté par le recommencement de l'action à la fin de la pièce.

■■■■ LA PROGRESSION RAPIDE DE L'ACTION

L'action apparaît, au premier abord, d'une grande simplicité. Comme le titre l'indique, c'est une leçon qui est représentée sur scène. La liste des personnages, qui comporte un professeur, une jeune élève et une bonne, permet de préciser qu'il s'agit d'une leçon particulière : ce sont donc les rapports individuels entre une élève et un professeur dans l'exercice de son métier qui constituent le sujet de la pièce. Certes, Ionesco souligne bien le caractère progressif de l'action par l'absence de découpage en scènes, mais il donne une rapidité, à dessein, peu vraisemblable aux évolutions des comportements que viennent ponctuer les avertissements de la bonne.

L'absence de découpage en scènes

Le caractère continu de l'action et l'aspect inexorable de l'évolution du professeur et de son élève sont déjà révélés par l'organisation même de la pièce. *La Leçon* n'est pas

découpée en scènes. Elle apparaît d'un seul tenant, mono-
lithique. Les personnages entrent et sortent, sans que ces
mouvements, essentiels pour le fonctionnement dramaturgique, soient signalés, comme c'est la tradition dans l'écriture
théâtrale, par un changement de scène. Ainsi la bonne,
témoin gênant et réprobateur des faits et gestes du professeur, est-elle susceptible d'intervenir à tout moment pour
souligner la montée progressive et fatale du danger.

Les modifications
des comportements

Deux évolutions parallèles, celle du professeur et celle de
l'élève, traversent *La Leçon*. Elles sont notées dans des indications scéniques et confirmées par le comportement des
personnages. D'une grande rapidité, elles se déroulent selon
deux processus inversés. L'assurance grandissante du professeur se nourrit, en quelque sorte, de la perte progressive
de dynamisme de l'élève.

Au début de la pièce, les paroles et l'attitude du professeur
sont marquées par la timidité. Il fait preuve envers son élève
d'une politesse quelque peu obséquieuse, s'efforce de lui
prêter une grande attention, utilise un langage châtié. À l'arrivée de la jeune fille, il se répand en excuses pour l'avoir
fait attendre. Il essaie de trouver un sujet de conversation
qui puisse l'intéresser. Il lui dispense son enseignement avec
calme et patience et cherche à valoriser les réponses évidentes qu'elle donne à ses questions.

Mais rapidement, le ton du professeur change. Déjà,
lorsque l'élève précise qu'elle est à sa disposition, se manifestent une « Lueur dans les yeux vite éteinte, un geste, qu'il
réprime ». Puis arrivent les reproches, naît l'agressivité, suivent les menaces, tandis que le ton se fait véhément et que
l'expression devient grossière : « Pas d'insolence, mignonne,
ou gare à toi... ».

Ionesco prend bien soin de décrire longuement dans une
indication scénique située en début de pièce cette métamorphose inquiétante, presque monstrueuse :

> Au cours du drame, sa timidité disparaîtra progressivement,
> insensiblement ; les lueurs lubriques de ses yeux finiront par
> devenir une flamme dévorante, ininterrompue ; d'apparence

> plus qu'inoffensive au début de l'action, le professeur devien-
> dra de plus en plus sûr de lui, nerveux, agressif, dominateur,
> jusqu'à se jouer comme il lui plaira de son élève, devenue,
> entre ses mains, une pauvre chose. Évidemment la voix du
> professeur devra elle aussi devenir, de maigre et fluette, de
> plus en plus forte, et, à la fin, extrêmement puissante, écla-
> tante, clairon sonore (...).

L'évolution de l'élève suit un cours inverse. À l'ouverture
de l'action, elle apparaît comme une jeune fille heureuse de
vivre, connaissant les usages, mais sachant manifester sa
personnalité, entendant faire respecter sa liberté. Elle n'hé-
site pas à interroger le professeur, lui demandant : « Vous
aimez Bordeaux ? », « Alors vous connaissez Paris ? » Lorsque
le cours commence, elle fait preuve de bonne volonté,
essayant de répondre aux questions qu'on lui pose.

Mais bientôt, un certain découragement s'empare d'elle :
« Je n'y arrive pas, Monsieur. Je ne sais pas, Monsieur »,
avoue-t-elle pendant la leçon d'arithmétique. Puis l'inattention
et le découragement se font jour, renforcés par la manifestation d'un mal de dents tenace, bientôt suivis par l'effon-
drement physique et psychique. Cette transformation est
également notée avec beaucoup de soin par Ionesco dans
la longue didascalie du début de la pièce :

> Elle a l'air d'une fille polie, bien élevée, mais bien vivante,
> gaie, dynamique ; un sourire frais sur les lèvres ; au cours
> du drame qui va se jouer, elle ralentira progressivement le
> rythme vif de ses mouvements, de son allure, elle devra se
> refouler (...) ; volontaire au début, jusqu'à en paraître agres-
> sive, elle se fera de plus en plus passive, jusqu'à ne plus
> être qu'un objet mou et inerte, semblant inanimée entre les
> mains du professeur.

C'est cette double évolution, à la fois contradictoire et
complémentaire, qui conduira au dénouement, au meurtre
final. La montée parallèle de la domination du professeur et
de la soumission de l'élève permettra au premier de s'em-
parer totalement de l'autre, de la soumettre entièrement à
sa volonté, jusqu'à l'acte de mort.

Les avertissements réguliers de la bonne

Tout au long de la pièce, la bonne rôde. Sa présence
devient obsédante. Elle multiplie les mises en garde de plus

en plus fréquentes et de plus en plus pressantes au fur et à mesure qu'approche le dénouement meurtrier :

> Excusez-moi, Monsieur, faites attention, je vous recommande le calme (...)
> L'arithmétique, ça fatigue, ça énerve (...)
> Monsieur, surtout pas de philologie, la philologie mène au pire... (...)
> Vous voyez, ça commence, c'est le symptôme ! (...)
> Le symptôme final ! Le grand symptôme !

Mais c'est en vain qu'elle essaie d'arrêter cet engrenage infernal et, impuissante, elle ne peut que rappeler au professeur, une fois l'irréparable accompli :

> Et je vous avais bien averti, pourtant, tout à l'heure encore : l'arithmétique mène à la philologie, et la philologie mène au crime...

■■■■■ LES EFFETS DE RUPTURE

La rapidité des évolutions mettait déjà en cause leur caractère progressif. Cette progression se trouve, de plus, contestée par des effets de rupture visibles, en particulier, dans le mélange des tons. Elle est aussi perturbée par la construction circulaire de la pièce qui s'achève, paradoxalement, sur le recommencement de l'action.

Le mélange du comique et du tragique

La tonalité de *La Leçon* est caractérisée par le mariage de la détente et de la tension, du comique et du tragique : ce mélange des tons est d'ailleurs souligné par le sous-titre de la pièce, appelée « drame comique ».

C'est le sourire plutôt que le rire qui est sollicité dans *La Leçon*. Les procédés comiques, discrets, sont en grand nombre. Au début de l'action, les rapports volontairement conventionnels, caricaturaux, qu'entretiennent le professeur et son élève amusent le spectateur qui observe la première prise de contact entre l'enseignant, timide et réservé, et la jeune fille, sûre d'elle et faisant preuve d'une politesse de bon aloi. Au cours de la leçon d'arithmétique, le contraste absurde entre l'incapacité de l'élève à répondre aux questions élémentaires et sa virtuosité dans le calcul mental fait sourire.

Le cours de langues permet le développement d'une parodie amusante des théories et du langage des grammairiens. D'une autre manière, la reprise par l'élève, comme un leit-motiv, de « J'ai mal aux dents » fait plaisamment ressortir l'impuissance du professeur à capter son attention.

Régulièrement, tout au long de la pièce, le ton et le comportement inquiétants du professeur ainsi que les avertissements de la bonne introduisent une certaine tension, perturbent le comique. À la fin, la rupture de tonalité est brutale, soulignant ainsi la rapidité des évolutions des comportements. Même lorsque le professeur se saisit d'un couteau, le spectateur ne s'attend pas encore à l'irréparable. Et c'est donc à une brusque intrusion du tragique et de la mort qu'il assiste, lorsque le professeur « tue l'élève d'un grand coup de couteau bien spectaculaire ».

Une construction circulaire

La progression linéaire de l'action est aussi contestée par la construction circulaire de la pièce qui s'achève, de façon paradoxale, sur un recommencement de l'action. Ce mouvement circulaire est déjà apparent dans le retour final du professeur à son comportement initial. Le meurtre le libère de son agressivité. Après avoir tenté d'assassiner également Marie, il redevient un être timide, soumis. Il exprime ses regrets et, penaud, s'en remet entièrement à sa bonne pour le tirer du mauvais pas où il s'est placé : « Oui, Marie ! Qu'est-ce qu'on va faire, alors ? », implore-t-il, pitoyable.

La Leçon finit, comme elle a commencé, par l'arrivée d'une élève. Auparavant, le corps de la victime avait été enlevé, rejoignant les trente-neuf autres cadavres, bilan d'une journée ordinaire. Et lorsque le professeur accueillait sa nouvelle élève, au début de la pièce, il faisait allusion à la mise en bière de la victime précédente, bredouillant : « Je finissais justement... n'est-ce pas, de... » Ainsi Ionesco montre-t-il que tout est éternel recommencement dans un monde qui n'évolue pas, qui est désespérément immobile. Le professeur est condamné à inscrire son existence dans une reprise sans fin de l'acte meurtrier.

11

Des auxiliaires de l'action : le lieu, le temps et les didascalies de La Leçon

Le lieu, le temps et les indications scéniques, ces composantes habituelles de l'écriture théâtrale, contribuent à rendre compte de la rapidité de la progression, des ruptures et du recommencement qui caractérisent *La Leçon*.

■■■■■ L'INQUIÉTANTE MÉTAMORPHOSE DU LIEU

Le décor où se déroule la pièce concourt largement à en dégager l'atmosphère. Il se présente d'abord sous un aspect très banal, puis devient progressivement inquiétant, pour retrouver, à la fin de *La Leçon*, son caractère initial.

Un décor apparemment réaliste

Décrit avec minutie par Ionesco dans les disdascalies qui précèdent le dialogue, le décor apparaît, de prime abord, comme marqué par le réalisme. L'action de la pièce prend place dans le « cabinet de travail » d'un professeur. C'est un intérieur modeste d'un enseignant peu fortuné, puisque ce lieu d'étude fait aussi fonction de « salle à manger », tandis que « La table sert aussi de bureau ». Cette pièce est meublée de façon banale. Outre la table située « au milieu de la pièce », elle comporte « un buffet rustique » dressé sur le côté droit de la scène, « Trois chaises autour de la table, deux autres des deux côtés de la fenêtre » et « quelques rayons avec des livres ». Décorée d'une « tapisserie claire », de couleur neutre, elle est égayée par « des pots de fleurs banales » disposés « sur le bord extérieur de la fenêtre ».

Le lieu unique crée une impression de huis clos. Le professeur, cloîtré dans son cabinet de travail, n'a que peu de contact avec l'extérieur. Une seule fenêtre « pas très grande », « Au fond, un peu sur la gauche », permet d'« apercevoir, dans le lointain, des maisons basses aux toits rouges », évocation de « la petite ville » où vit le professeur.

Le dispositif scénique comporte, par ailleurs, deux portes : « À gauche de la scène, une porte donnant dans les escaliers de l'immeuble », par où entreront, au début de la pièce, la première élève, puis, à la fin, la seconde élève ; « au fond, à droite de la scène, une autre porte menant à un couloir de l'appartement » et donnant accès à un escalier qui conduit à la chambre du professeur, d'où il descend à l'ouverture de l'action et où il monte après le dénouement sanglant.

La banalité de ce décor correspond tout à fait à la banalité de la situation de départ. Le spectateur assiste à l'entrée de l'élève par la porte de gauche, à son installation, puis à l'arrivée du professeur par la porte de droite. L'occupation de l'espace scénique, durant la première partie de la leçon, est, elle aussi, volontairement conventionnelle : le professeur et son élève sont assis « l'un en face de l'autre, à table, de profil à la salle » ; l'enseignant se lève, de temps en temps, pour écrire sur un tableau, tandis que la bonne vaque à ses occupations. Un seul détail vient trancher avec ce réalisme prosaïque : le tableau sur lequel écrit le professeur est « un tableau noir imaginaire », ce qui introduit une dimension surréaliste dans le déroulement de l'action.

Une transformation effrayante du lieu

Bientôt, le lieu, comme le comportement du professeur, de rassurant se fait inquiétant. Une première transformation se manifeste avec l'occupation de l'espace scénique par l'enseignant. D'abord assis derrière sa table, il commence par se lever pour écrire sur le tableau imaginaire, puis il « se promène dans la chambre, les mains derrière le dos », en faisant de grands gestes. Le lieu se transforme ainsi en une sorte de cage trop petite pour contenir le fauve que le professeur est en train de devenir. Il arpente la scène de plus en plus nerveusement, animé d'une agressivité grandissante.

L'un des rares accessoires de la pièce, le couteau, transforme brutalement le lieu banal en un lieu cauchemardesque de torture et de mort. Après l'assassinat, un autre accessoire renforce cette impression : « La bonne (...) sort un brassard portant un insigne, peut-être la svastika nazie. » Cette allusion à la croix gammée évoque ces sinistres lieux de détention où, à l'époque hitlérienne, sévissaient les tortionnaires.

Cette transformation monstrueuse est complétée par la révélation de l'affectation de la pièce de l'étage supérieur : « La bonne et le professeur prennent le corps de la jeune fille, l'une par les épaules, l'autre par les jambes, et se dirigent vers la porte de droite » : la chambre de l'enseignant apparaît comme une vaste morgue où s'entassent les cadavres.

Le retour à un lieu sécurisant

Après l'évacuation du cadavre, le refoulement de la mort et du meurtre à l'étage au-dessus, le lieu scénique retrouve sa sérénité, devient à nouveau banal et sécurisant. Pour ménager une transition, la scène reste un moment vide, puis la normalité reprend ses droits, au moins provisoirement, avec le déclenchement de la sonnette de l'entrée. De nouveau, la pièce où se déroule l'action est une salle de cours ordinaire, avant de subir à nouveau l'horrible métamorphose.

▬▬ LA FLEXIBILITÉ DU TEMPS

Le temps n'est pas homogène. Il est flexible. Il est parcouru, comme l'action, de ruptures et d'accélérations. Il est marqué aussi par un effet de recommencement qui constitue comme un retour en arrière.

Un temps heurté

Globalement, la progression caractérise le déroulement de la leçon donnée par le professeur. Tout au long de la pièce, le temps semble s'écouler de façon continue. Mais ce n'est qu'en apparence. La subjectivité vient perturber la régularité de l'écoulement temporel.

En fait, le temps est haché, morcelé par des vides qui, en quelque sorte, le suspendent. Quatre silences interviennent au cours de la pièce. Situés, de façon significative, à son début et à sa fin, ils encadrent l'action. Avant même que ne commence le dialogue, une indication scénique prévoit que « la scène est vide » et qu'« elle le restera assez longtemps ». C'est donc dans un silence complet et relativement durable que le spectateur a tout loisir de contempler le décor et attend, avant que l'engrenage ne se mette en route, l'arrivée des personnages. De même, un peu plus tard, un silence de quelques minutes s'installe. Le professeur, en prévenant « Je descends [...] dans deux minutes... », donne l'occasion au spectateur d'observer, image encore rassurante, la jeune élève qui s'est installée. Inversement, après le meurtre, le silence qui accompagne les réactions du professeur facilite le retour au calme, met un point final à l'épisode dramatique. Enfin, lorsque s'achève la pièce, une indication scénique, comparable à celle du début, signale « Scène vide pendant quelques instants ». Le retour à la normale peut ainsi s'opérer, avant l'entrée de la nouvelle élève : le silence, en consommant du temps, a lavé provisoirement l'action des souillures de la mort, avant la reprise suggérée de l'horreur.

Le rôle de ces silences est clair. Ce sont, à la fois, des moments de répit et des instants de préparation de ce qui va arriver. Ils ont une fonction de transition et permettent de passer d'une situation normale à une situation de crise ou, au contraire, après l'inéluctable, de revenir, pour un moment, à l'apaisement.

La rupture de la continuité du temps est également manifeste dans les nombreuses interruptions de la bonne. Par ses avertissements, elle essaie, en vain, de briser la progression fatale qui conduit inexorablement le professeur à son acte meurtrier. Mais, quoi qu'elle fasse, le temps s'accélère : le déroulement lent et paisible de la leçon fait place à des séquences rapides et frénétiques.

Un éternel recommencement

Non seulement l'écoulement du temps n'est pas continu, mais encore il n'est pas possible de le borner, de lui attribuer un début et une fin. Après avoir mené l'action à ce qu'on pourrait considérer comme son point d'arrivée, l'assassinat de l'élève, le temps revient à son point de départ et repart,

en quelque sorte, à zéro, pour reprendre un écoulement iden-
tique qui s'achèvera de la même façon.

Le temps est un éternel recommencement qui ne tient pas
compte des leçons du passé. Il n'y a pas de progrès, d'évolution possible : le professeur n'est pas capable, malgré ses
regrets et son repentir, malgré les avertissements incessants
de la bonne, d'utiliser son expérience pour éviter de nouveaux
meurtres. Il ne cesse de commettre le même acte, enfermé
dans un cercle infernal, qui, constamment, le ramène à son
point de départ.

LA COMPLEXITÉ DES DIDASCALIES

Ionesco multiplie, dans *La Leçon*, les indications scéniques
extérieures au dialogue, ce qu'on appelle les *didascalies*.
Elles se développent parallèlement au texte prononcé par les
personnages. Guides du metteur en scène qui les concrétise
au cours de la représentation ou interprétées par l'imagina-
tion du lecteur, elles sont d'une grande diversité et témoi-
gnent ainsi de la complexité de l'action.

Du réel au surréel

Que ce soit dans la longue didascalie qui ouvre la pièce
ou dans celles qui la parsèment, Ionesco accumule les notations apparemment réalistes, précises, qui s'inscrivent dans
la tradition théâtrale. Elles fournissent des renseignements
variés. Elles donnent des indications sur le lieu (« Le cabinet
de travail, servant aussi de salle à manger, du vieux professeur ») et les accessoires (« Il va vite vers le tiroir, y découvre
un grand couteau(...) »). Elles apportent des précisions sur le
temps (« L'élève reste seule quelques instants (...) »). Elles
renseignent sur les personnages : elles révèlent leur âge (« Le
professeur, 50 à 60 ans »), leur habillement (« il a des lor-
gnons, une calotte noire, il porte une longue blouse noire de
maître d'école »), leur comportement (« L'élève se retourne
vivement, l'air très dégagé, jeune fille du monde »), leurs
mimiques (« L'élève, grimaçante »), le ton de leur voix (« voix
du professeur, plutôt fluette »), leurs mouvements sur la

scène (« Il se lève, se promène dans la chambre, les mains derrière le dos »), ou leurs entrées et sorties (« La bonne, entrant » ; « Elle sort »).

Mais la précision de ces indications est remise en cause par l'atmosphère étrange qui s'installe peu à peu sur scène. Au réalisme succède un univers qui échappe à la réalité. Certaines didascalies contribuent à créer ce surréel, en contestant l'existence même des objets : « On ne voit pas les allumettes, ni aucun des objets, d'ailleurs, dont il est question ; le professeur se lèvera de table, écrira sur un tableau inexistant avec une craie inexistante, etc. » La fragilité de la frontière entre ce réel et ce surréel qui se contestent mutuellement se trouve, d'ailleurs, soulignée par Ionesco qui, dans une didascalie, laisse les deux possibilités ouvertes : « Il va vite vers le tiroir, y découvre un grand couteau invisible, ou réel, selon le goût du metteur en scène (...) ».

De l'évolution au recommencement

Les didascalies contribuent également à dégager le balancement entre l'évolution et le recommencement qui est un des traits fondamentaux de la construction de *La Leçon*.

La longue indication scénique de près de deux pages du début précise minutieusement la transformation des comportements qui se déroule durant une bonne partie de la pièce. Les notations se feront ensuite plus brèves, pour confirmer cette évolution, pour en marquer les temps forts et les accélérations. Par ailleurs, la similitude des didascalies du début et de la fin souligne le caractère circulaire de la construction de l'action, l'effet de recommencement qui la marque. Ainsi, les indications scéniques fonctionnent-elles parallèlement au texte, auquel elles confèrent un éclairage indispensable aussi bien pour la lecture que pour la représentation.

12

Fonction et signification des trois personnages de La Leçon

Les trois personnages de *La Leçon*, le professeur, l'élève et la bonne, semblent donner lieu à une peinture réaliste. Ionesco accumule, aussi bien dans les indications scéniques que dans les paroles qu'il leur fait prononcer, de nombreux détails qui paraissent leur donner vie, leur conférer une individualité, une personnalité. Mais il les rend volontairement conventionnels, presque caricaturaux, montrant ainsi que son but n'est pas de procéder à une satire des caractères ou de la société. En fait, il assigne un autre rôle à ses personnages. Ce sont des symboles de comportements humains universels, témoignages de la situation de l'homme dans l'univers.

LE PROFESSEUR, UN TERRORISTE DU SAVOIR

Sous des aspects d'abord paisibles, le professeur cache une âme de bourreau. En s'appuyant sur la connaissance et en utilisant le fonctionnement du langage, il cherche à imposer sa domination, à assouvir son désir de pouvoir.

Un enseignant type

Ionesco s'est ingénié à faire, dans un premier temps, un portrait traditionnel du professeur tel qu'on l'imaginait dans les années 1950. Il a « 50 à 60 ans », habite un appartement modeste dans une petite ville de province, a le comportement effacé, les manières polies et le langage châtié qui conviennent, selon les conventions, à sa profession. Mais dans ces indications mêmes, Ionesco montre clairement sa volonté de schématiser le personnage, auquel il prête des caractéristiques, à dessein, caricaturales. Ce parti pris se manifeste avec une netteté particulière dans la description du vêtement du professeur :

> Il a des lorgnons, une calotte[1] noire, il porte une longue blouse noire de maître d'école, pantalons et souliers noirs, faux col blanc, cravate noire.

Il est vêtu à la manière des instituteurs du début du XXe siècle, ce qui l'éloigne de l'enseignant de notre époque et fait donc de lui l'enseignant en général, un enseignant désincarné, un enseignant réduit à sa fonction.

La perversion de la connaissance

Ionesco a choisi un professeur pour montrer le pouvoir, souvent perverti, que possède la connaissance. S'il s'est arrêté sur l'enseignant, c'est parce qu'il exerce une profession vouée à la transmission du savoir et qu'il est amené à entretenir des rapports d'autorité avec ses élèves. C'est dans l'exercice de son métier que le professeur de La Leçon révèle, par son comportement, comment la connaissance peut être détournée de façon perverse pour devenir un instrument d'asservissement.

Cette évolution apparaît clairement tout au long de la pièce. Le professeur se met d'abord, avec un grand sens de la pédagogie, au niveau de son élève, essaie de la comprendre, s'efforce de l'encourager. Mais il s'éloigne bientôt des connaissances arithmétiques claires et utiles, pour aborder un savoir linguistique, coupé des réalités, qu'il complique à plaisir. La jeune fille, alors, ne parvient plus à suivre, devient un être passif, toute soumise à l'autorité de la science.

Ce qui est parodié, et peut-être dénoncé ici, c'est le recours aux systèmes théoriques et à un langage technique que le commun des mortels est incapable de comprendre et qui permettent de dissimuler le vide de la pensée. Le professeur est le digne héritier de ces personnages de Molière qui abusent de leur savoir : un peu comme il le fait avec son élève, les médecins du Malade imaginaire parvien-

---

1. Petit bonnet rond qui ne couvre que le sommet de la tête.

nent à subjuguer Argan, à se rendre maîtres de son corps et de son esprit, en le noyant sous des flots de termes médicaux et de mots latins.

Les deux effets
pernicieux du savoir

Le savoir, ainsi entendu et exercé, a un double effet pernicieux. Dans un premier temps, il domine, enferme, aliène le professeur, lui fait perdre toute personnalité, le transforme en un être falot, incapable de profiter de la vie. Dans un second temps, il lui permet de donner sa pleine expression à une volonté de puissance dont il n'est plus que l'instrument. Quoi qu'il fasse, l'enseignant ne peut échapper à ces deux effets contradictoires du savoir. Il ne cesse, tour à tour, de passer d'un état de soumission et de dépression à un stade de domination et d'exaltation. La volonté de puissance l'envahit alors tout entier ; d'intellectuelle, elle devient peu à peu sexuelle ; « les lueurs lubriques de ses yeux finiront par devenir une flamme dévorante, ininterrompue », et le meurtre final apparaîtra comme un substitut sadique de l'acte sexuel :

> après le premier coup de couteau, il frappe l'élève morte d'un second coup de couteau, de bas en haut, à la suite duquel le professeur a un soubresaut bien visible, de tout son corps.

Le caractère néfaste que revêt un savoir perverti apparaît pleinement, lorsqu'il aboutit à la destruction à la fois intellectuelle et physique de l'autre. À cet égard, l'assassinat de l'élève revêt une seconde signification que met clairement en évidence l'indication scénique : « [la bonne] sort un brassard portant un insigne, peut-être la svastika nazie. » La connaissance se met souvent au service des États totalitaires. Elle sert à étayer leurs théories pernicieuses, à leur donner une sorte de légitimité intellectuelle. Elle intervient aussi dans l'activité de propagande, pour imposer les idéologies aux populations, ainsi conditionnées, et pour pouvoir mettre en œuvre des activités d'extermination. L'allusion aux dictatures fascistes et, en particulier, au régime hitlérien, est évidente. Ionesco dénonce les déviations de certains intellectuels qui mettent leur science à la disposition des bourreaux, qui deviennent, directement ou indirectement, eux-mêmes des bourreaux.

Ionesco fait dire, par ailleurs, à la bonne, lorsqu'elle attache le brassard autour du bras du professeur : « Tenez, si vous avez peur, mettez ceci, vous n'aurez plus rien à craindre. » Il montre ainsi comment les partis fondés sur la violence et l'intolérance satisfont les faibles, parce qu'ils les rassurent, leur font oublier leur faiblesse, et leur permettent, en toute impunité, de donner libre cours à leurs pulsions.

Le langage, instrument de domination

Le langage joue un rôle essentiel dans cette perversion du savoir. Comme c'est souvent le cas dans le théâtre de Ionesco, les mots, au lieu de servir à la communication entre les êtres, lui sont un obstacle. De façon caractéristique, le professeur, au fur et à mesure qu'il prend de l'assurance et fait du savoir un instrument de domination, laisse de moins en moins la parole à son élève. Le dialogue animé fait place à une série de longs développements théoriques de l'enseignant. Il n'admet plus de réplique, impose péremptoirement un enseignement qu'il se refuse à voir contesté. La souplesse pédagogique du début est remplacée par la rigidité du cours magistral, peu propice à une vraie communication.

Cette incommunicabilité est également la conséquence de l'utilisation d'une langue technique, spécialisée. Le professeur use abondamment d'un vocabulaire qui relève de la linguistique, parlant d'« idiomes », de « groupes linguistiques », de « labiales, dentales, occlusives, palatales », de « désinences », de « préfixes », de « suffixes », de « racines ». Le recours à ces termes savants vide d'autant plus l'expression de sens qu'il s'accompagne de l'utilisation de formules incohérentes, à la limite de l'absurde, comme : « Les sons, Mademoiselle, doivent être saisis au vol par les ailes pour qu'ils ne tombent pas dans les oreilles des sourds », ou encore : « Seulement il avait la chance de pouvoir si bien cacher son défaut [de prononciation], grâce à des chapeaux, que l'on ne s'en apercevait pas. »

La nature des exemples donnés par le professeur à l'appui de sa démonstration va dans le même sens. Ils sont totalement arbitraires, choisis sans aucune justification et soulignent ainsi l'incohérence du raisonnement, l'incapacité d'établir des liens entre des éléments disparates, le langage apparaissant déconnecté de la pensée :

> Les *f* deviennent en ce cas des *v*, les *d* des *t*, les *g* des *k* et vice versa, comme dans les exemples que je vous signale : « trois heures, les enfants, le coq au vin, l'âge nouveau, voici la nuit » (...) « Comme ceci : regardez : "Papillon", "Euréka", "Trafalgar", "papi, papa" ».

Les ambiguïtés du langage

L'analyse de la filiation des langues à laquelle procède le professeur confirme la difficulté à communiquer qui caractérise les échanges humains. Ionesco lui fait émettre toute une théorie sur « les langues néo-espagnoles », issues d'une « langue mère », l'espagnol. Il parodie ainsi la linguistique qui distingue, par exemple, les langues latines dérivées du latin ou parle du haut-allemand et du bas-allemand pour déterminer les différentes étapes de l'évolution de la langue allemande. Lorsqu'il lui fait dire que, dans l'ensemble des langues néo-espagnoles, les mots sont identiques, ne se distinguent que par des nuances de prononciation insaisissables, sous leur absurdité apparente ces propos ne sont pas dénués de sens. Le professeur montre que la communauté du vocabulaire recouvre des différences considérables d'interprétation. À l'intérieur d'une même langue, chacun voit, en effet, dans les mots, un sens qui est commun à l'ensemble des utilisateurs de cette langue, mais également toute une série de significations liées à son expérience individuelle, à son état d'esprit : aussi la communication entre les individus ne peut être que partielle, relative.

C'est ce que souligne d'une autre manière le professeur, lorsqu'il signale que, dans certains cas, ces langues néo-espagnoles possèdent chacune son vocabulaire particulier :

> l'expression néo-espagnole célèbre à Madrid : "ma patrie est la néo-Espagne", devient en italien : (...) "Ma patrie est l'Italie" (...) ; pour le mot Italie, en français nous avons le mot France qui en est la traduction exacte. Ma patrie est la France. Et France en oriental : Orient ! Ma patrie est l'Orient. Et Orient en Portugais : Portugal ! L'expression orientale : ma patrie est l'Orient se traduit donc de cette façon en portugais : ma patrie est le Portugal ! Et ainsi de suite...

Ces constats, en apparence évidents, sont révélateurs : sous le même concept de « patrie », chacun, selon sa nationalité, met une réalité différente, ce qui explique l'incompréhension, voire l'intolérance.

L'élève, avant de mourir, réalisera par l'expérience cette relativité des mots : si le terme « couteau » désigne un objet susceptible de couper, de blesser et de tuer, représente-t-il la même réalité pour celui qui tue et pour celle qui est tuée ?

■■■■■ L'ÉLÈVE, UNE VICTIME DES PERVERSIONS DU SAVOIR

La construction du personnage de la jeune fille est parallèle à celle du professeur. Présentée d'abord comme l'élève type, elle s'identifie progressivement à la fonction de dominée et de victime.

Une élève bien élevée et studieuse

De même que le professeur apparaissait comme un enseignant traditionnel, Ionesco multiplie les détails qui font de l'élève un exemple caractéristique de la jeune fille bourgeoise, bien élevée, de bonne famille. La liste des personnages lui donne « 18 ans ». « Elle a l'air d'une fille polie (...) ». Son attitude marque, à la fois, la réserve et la curiosité. Elle est pleine de bonne volonté. Ambitieuse, elle se propose un objectif louable, celui d'obtenir son « doctorat total ». En inventant ce diplôme qui regroupe, tâche impossible, l'ensemble des connaissances humaines, Ionesco souligne la véritable boulimie de savoir de l'élève. Il fait également une allusion malicieuse au titre de « doctorat de littérature universelle », délivré dans son pays, la Roumanie.

Les rapports dominant-dominé

Cette évocation d'une bourgeoisie attachée à la réussite et aux apparences ne constitue pas la préoccupation essentielle de Ionesco, lorsqu'il peint son personnage. Comme le professeur, l'élève a une fonction symbolique. L'un et l'autre, plutôt que de représenter les rapports entre professeur et élève, mettent en évidence les relations entre dominant et dominé. Ces relations qui traversent la pièce sont complexes. Dans un premier temps, c'est la jeune fille qui mène le jeu. Le professeur est, en quelque sorte, son employé, son obligé, et elle marque clairement la supériorité que lui confèrent son origine bourgeoise et l'aisance qui en découle.

Mais cette domination socio-économique fait très vite place à la soumission au savoir. Elle abdique toute prétention à imposer sa volonté au professeur auquel elle se soumet corps, âme et esprit. La répétition du leitmotiv « J'ai mal aux dents » est, à cet égard, significative. Le dominant impose au dominé une souffrance qui désarme sa volonté, qui fait de lui un être sans défense.

Il est non seulement insensible à cette douleur, mais encore en jouit comme une marque concrète, presque palpable, du pouvoir qu'il exerce sur ses semblables.

■■■■■■■ LA BONNE, UN TÉMOIN AMBIGU

Comme les deux autres personnages, la bonne donne lieu à un traitement apparemment réaliste. Comme eux, elle représente, en fait, une fonction. Marquée par l'ambiguïté, elle est, à la fois, un témoin réprobateur et une aide active du professeur dans ses entreprises criminelles.

Une employée de maison traditionnelle

Tout, dans le personnage de la bonne, évoque l'employée de maison traditionnelle des années 1950. Elle s'appelle Marie, nom conventionnel s'il en est dans le métier qu'elle exerce. « Elle est forte ; elle a de 45 à 50 ans, rougeaude, coiffe paysanne » : elle est une représentante typique de ces femmes, issues du monde rural, « montées » à la ville pour trouver un emploi, témoin de la situation de crise et d'exode qui marque alors le monde des campagnes.

Portant un tablier, accessoire obligé de sa profession, elle s'affaire dans la maison ; elle adopte envers son employeur, le professeur, une attitude faite, à la fois, de déférence et de réprobation, comportement que la tradition théâtrale rend familier au spectateur.

Des comportements en apparence contradictoires

Une contradiction évidente se manifeste dans le comportement de la bonne. Tout au long de la pièce, elle ne cesse d'avertir le professeur de ce qui va arriver. Une fois le meurtre commis, elle exprime violemment sa réprobation. « Menteur ! Vieux renard ! Un savant comme vous ne se méprend pas sur le sens des mots. Faut pas me la faire », s'écrie-t-elle, lorsque l'enseignant fait semblant de ne pas avoir saisi ses avertissements et tente d'expliquer piteusement : « J'avais mal compris. Je croyais que "Pire" c'est une ville et que vous vouliez dire que la philologie menait à la ville de Pire [1]... ». Mais elle finit par s'apitoyer sur son sort et à l'aider à se sortir du mauvais pas où il s'est mis : « Vous me faites pitié, tenez ! Ah ! vous êtes un brave garçon quand même ! On va tâcher d'arranger ça. »

Comment s'explique cette ambiguïté et que représente, au juste, le personnage de la bonne ? Comme souvent, Ionesco laisse le champ libre aux interprétations. Serait-elle l'image du psychanalyste, lecteur de l'inconscient des individus, qu'il s'efforce de guérir, en essayant de comprendre, d'expliquer leurs motivations profondes ? Représenterait-elle l'opinion publique, préférant, par lâcheté, fermer les yeux sur les injustices et les exactions ? Plus précisément, symboliserait-elle le peuple qui, après avoir d'abord rejeté l'idéologie fasciste, est abusé par sa propagande et finit par s'en faire le complice ?

---

1. Ionesco introduit ici un effet comique : le professeur fait semblant de prendre le mot « pire » pour une ville, transformation de la formule « prendre Le Pirée (le port d'Athènes) pour un homme ».

REPÈRES BIBLIOGRAPHIQUES

Œuvres de Ionesco

● Pour l'ensemble de l'œuvre théâtrale d'Eugène Ionesco, consulter :
— Eugène Ionesco, *Théâtre complet*, édition Emmanuel Jacquart (Gallimard, « Bibliothèque de la Pléiade », 1991).
● Pour *La Cantatrice chauve* et *La Leçon*, l'édition la plus accessible est la suivante :
— Eugène Ionesco, *La Cantatrice chauve* suivi de *La Leçon* (Gallimard, coll. « Folio », 1970).

Études sur Ionesco et son œuvre

— Claude Abastado, *Eugène Ionesco* (Bordas, coll. « Présences littéraires », 1971). Une étude à la fois analytique et synthétique du théâtre de Ionesco de *La Cantatrice chauve* à *Jeux de massacre*.
— Simone Benmussa, *Textes et propos de Ionesco* (Seghers, coll. « Théâtre de tous les temps », 1966). Cet ouvrage contient de nombreux renseignements sur les mises en scène des pièces de Ionesco.
— Michel Bigot et Marie-France Savéan, *La Cantatrice chauve et La Leçon d'Eugène Ionesco* (Gallimard, coll. « Foliothèque », 1991). Une analyse approfondie et bien documentée des deux pièces.
— Marie-Claude Hubert, *Eugène Ionesco* (Le Seuil, coll. « Les Contemporains », 1990). Un point sur la carrière théâtrale de Ionesco.

Ouvrages généraux, concernant le théâtre contemporain

— Michel Corvin, *Le Théâtre nouveau à l'étranger* (PUF, coll. « Que sais-je ? », 1964). Un état des nouvelles orientations du théâtre à l'étranger depuis la fin de la Seconde Guerre mondiale jusqu'aux années 1960.
— Michel Corvin, *Le Théâtre nouveau en France* (PUF, coll. « Que sais-je ? », 1963). Une analyse similaire concernant la France.
— Jean-Luc Dejean, *Le Théâtre français depuis 1945* (Nathan, coll. « Université », 1987). Un panorama complet du théâtre français depuis la Libération jusqu'à aujourd'hui.
— Jean Duvignaud et Jean Lagoutte, *Le Théâtre contemporain, culture et contre-culture* (Larousse, coll. « Thèmes et textes », 1974). Une étude sur l'apport du théâtre à la vie intellectuelle de la France contemporaine.
— Marie-Claude Hubert, *Langage et corps fantasmé dans le théâtre des années cinquante* (José Corti, 1987). Accompagné d'entretiens avec Eugène Ionesco et Jean-Louis Barrault, cet ouvrage aborde les œuvres de Ionesco, Beckett et Adamov.

INDEX DES THÈMES ET NOTIONS

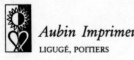

Aubin Imprimeur
LIGUGÉ, POITIERS

IMPRESSION – FINITION

Achevé d'imprimer en février 1992
Nº d'édition 8808 / Nº d'impression L 39501
Dépôt légal février 1992 / Imprimé en France